はじめてでもスラスラわかる
３色ペンで読む決算書

吉田勧司

はじめに

子供の頃、はじめて自転車に乗った時のことを覚えていますか？

はじめて乗る自転車は怖かったと思いますが、補助輪を付けて練習するうちに、バランスの取り方を覚え、スピードにも徐々に慣れていったと思います。

そうして体が十分慣れてから、補助輪を外して自転車に乗ってみると、行動範囲が格段に広がり、新しい世界が開けたはずです。

会計の世界も全く同じです。

決算書は**会社経営や株式投資、経営分析など様々な場面に役立つ**便利なものですが、予備知識なしにはなかなか読み解くことができません。自転車と同じように、**最初に何らかの練習が必要**なのです。

そこで、本書では「3色決算書法」というユニークで簡単な練習方法をご紹介します。

左の図が、3色決算書法の基本フレームです。A、B、C、PLなどの文字と、色のついた四角形や三角形が並んでいます。図の意味は本書を読み進めていくうちに、だんだんとわかるようになっていきます。

使う色は「青」「赤」「緑」の3色です。

特徴は、財務3表といわれる「貸借対照表（BS）」「損益計算書（PL）」「キャッシュフロー計算書」を、全て3色でまとめた点です。

今までにも決算書に色を塗って、理解しやすくする方法はありました。その場合は、5つの要素と呼ばれる「資産」「負債」「純資産」「収益」「費用」の5色に塗り分けることが多いようです。

ただ、5色では色を塗ってもまだまだ複雑で、わかりにくいのが難点だったのです。

そこで本書では、使用する色を3色に絞りました。それぞれの色に意味を持たせて、読者のみなさんが**決算書を理解しやすいように工夫**してあります。

[**3色決算書法**の基本フレーム]

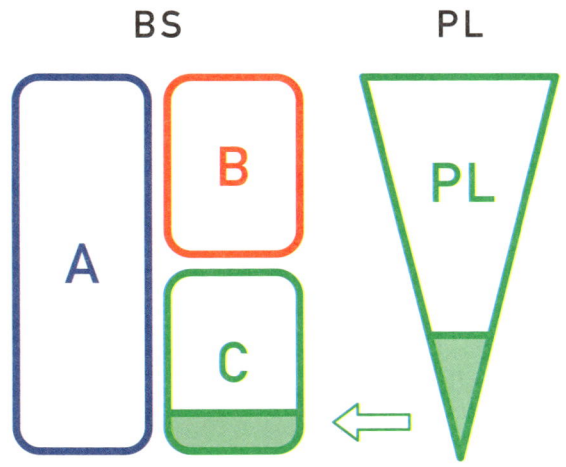

図の意味は
だんだんとわかるようになるはずです。

本書で3色決算書法が身に付くと、次のようなことができるようになります。

・BS、PL、キャッシュフロー計算書のつながりがわかる
・決算書を使って財務分析ができるようになる
・会社のビジネスモデル（お金を得ている方法）がわかる
・「会社四季報」の読み方がわかる
・取引先の経営状況がわかる
・就職先を決める際の判断材料が増える
・自社の経営上の問題点がわかる

読者のみなさんはきっと、「どこの会社の株を買うべきか」「A社は**取引先としてふさわしいのか**」「B社とC社、どちらに就職した方がいいか」「経営者として**自社に問題点がないか**」といったことがわかるようになりたくて、本書を手に取られたと思います。

そのために必要なのは、会社を客観的に正しく知ることができる財務分析です。き

[**3色決算書法**の位置付け]

ちんとした財務分析をしないと、その**会社に存在するリスクを把握できない**場合があります。

例えば、大企業のA社と中堅のB社のどちらと取引を始めるか、検討しているとします。売上高はA社の方が多いかもしれませんが、A社に「借入金」が多くあるのを把握せずに取引を開始してしまうと、A社が利息の返済に苦しんで倒産してしまうという可能性があります。それならば、B社と取引した方が安全性は高いと判断できるのです。

この例はかなり極端ですが、会社のことを本当に知ろうとするならば、**BS、PL、キャッシュフロー計算書を活用**して、いろいろな方向から分析することが必要なのです。

また、財務分析に必須なのが「共通のものさし」です。イチローと松井秀喜、どっちがヒットを打つのがうまいかと聞かれた時に、松井秀喜のシーズン最高打率は「3割3分4厘」だけれど、イチローは「3割8分7厘」を打ったことがあるからイチロー

8

かな、などと、共通のものさし（この場合は打率）を示すことができれば説得力が増します。

財務分析は企業の持つ金額だけに惑わされず、共通のものさしを使って**いろいろな角度から決算書を読み解く**ために、必要となるのです。

3色決算書法のよいところは、どこからお金が入ってきて、どのように使われたかが、**視覚的に瞬間的に、理解できる**点です。

これから勉強を始める方にも、また以前に決算書の勉強で挫折してしまった方にとっても、きっとわかりやすい方法だと思います。

「決算書を3色に塗り分けただけで、本当にそこまでわかるようになるのか？」と思う方もいらっしゃるでしょう。しかし、単純な方法だからこそ、理解も簡単だということが、すぐにわかっていただけるはずです。

また、決算書の入門書といえば、完成された決算書を例に挙げて、解説しながら中身を理解していくのが普通です。しかし、本書では簡単なモデルケースを使うことによって、**ビジネスの始まりから決算書が出来上がるまでを**、コンパクトかつ視覚的に

わかりやすく理解できるように作りました。

決算書は、会計のプロ以外でもみんなが使うものなので、わかりやすくあるべきだと思っています。わかりにくい会計の話は極力避け、しかし、本質はつかめるように、必要なポイントを厳選してシンプルにまとめました。

私の好きな言葉のひとつに、サントリー創業者の鳥井信治郎さんがおっしゃった「やってみなはれ」という言葉があります。サントリーが開業から100年以上経った今も日本のトップ企業のひとつであり続けているのは、**現状に甘んじることなく、新しいことにチャレンジする**「やってみなはれ」の精神があるからだと思うのです。

みなさんも、怖がらずにまずは補助輪を付けて、「やってみなはれ」の精神で決算書を楽しんで下さい。

はじめてでもスラスラわかる

3色ペンで読む決算書

目次

はじめに 3

本書で扱う財務3表について 19

第1章 3色で貸借対照表（BS）を読む

1 BSで覚えておきたい4つのルール 22

ルール① A＝B＋C 24

ルール② A（資産）はお金の使い道 26

ルール③ B（負債）は必ず返すお金 28

ルール④ C（純資産）は返さなくていいお金 30

2 自分でBSを作ってみよう 32

ステップ1〜8 34

3 3色ペンなら、企業のBSがすんなりわかる 50

- ▼ 企業のBSを3色ペンで囲うだけ 50
- ▼ A・B・Cはさらに分解できる 52
- ▼ 現金化しやすいものから順に並んでいる 56
- ▼ Cが大きいのは、過去の利益が貯まっている証拠 58
- ▼ 上場している会社の決算書は入手できる 62

クイズ プロ野球チームの親会社のBSを当ててみよう 64

- ▼ クイズ1 「ソフトバンク」と「楽天」のBS、どっちがどっち? 66
- ▼ クイズ2 このBSは何の業種を表している? 70

第1章のまとめ 75

コラム A・B・Cが記憶に刻まれる余話 76

第2章 3色で損益計算書（PL）を読む

1 PLで覚えておきたいルール 82
　ルール　売上から費用を引いたものが利益 82

2 自分でPLを作ってみよう〈前編〉 84
　ステップ1〜5 86

3 PLに含まれている5つの利益 96
　①売上総利益（粗利益） 98
　②営業利益 100
　③経常利益 102
　④税引前当期純利益 104
　⑤当期純利益 108

4 自分でPLを作ってみよう〈後編〉 110

ステップ1〜8 112

5 決算書を難しくしている減価償却の正体 126

- ▼費用を一度に計上しなくて済む 126
- ▼減価償却をしないと利益のぶれが大きくなる 128
- ▼3色で見る減価償却 130

クイズ 日経新聞で遊んでみよう 136

- ▼クイズ1 時計メーカーの利益が5割増加した理由とは? 136
- ▼クイズ2 旅行業者の経常利益増加の理由とは? 140
- ▼クイズ3 ガス会社の当期純利益が減少した理由とは? 143

第2章のまとめ 147

コラム メジャー移籍金はPLにどう記載されるのか 148

第3章 3色でキャッシュフロー計算書を読む

1 キャッシュフロー計算書でわかる、3つのお金の流れ

お金の流れ① 営業活動によるキャッシュフロー 154
お金の流れ② 投資活動によるキャッシュフロー 156
お金の流れ③ 財務活動によるキャッシュフロー 156

2 自分でキャッシュフロー計算書を作ってみよう

ステップ1〜7 162

3 キャッシュフロー計算書を読み解く

▼プラスかマイナスか、だけで判断しない 176
▼PLとキャッシュフロー計算書の違いとは？ 180
▼財務3表は互いの欠点を補い合っている 182

クイズ 財務3表を使って総合問題を解いてみよう 184

第3章のまとめ 192

コラム 世界の会計基準では"A＝C＋B"？ 193

第4章 3色で読み解く「会社四季報」

▼「四季報」だと財務3表はこう表記されている 198

▼重視するポイントによって、財務分析は変わる 202

① 収益性分析 203
② 安全性分析 206
③ 効率性分析 209

第4章のまとめ 212

コラム 回転ずしと高級フレンチのビジネスモデルを比較する 213

あとがき 219

参考文献 221

本書で扱う財務3表について

BS：日本語では貸借対照表（たいしゃくたいしょうひょう）、英語では Balance Sheet（バランスシート）と呼ばれています。本書では Balance Sheet の頭文字を取って、BS(ビーエス)と呼ぶことにします。

・・・・・・・・・・・・・・・・・・・・・・・・

PL：日本語では損益計算書（そんえきけいさんしょ）、英語では Income Statement や Profit and Loss Statement と呼ばれています。日本では Profit and Loss Statement の頭文字を取ったPL（ピーエル）と呼ばれることが多いので、本書でもPLと呼ぶことにします。

・・・・・・・・・・・・・・・・・・・・・・・・

キャッシュフロー計算書：日本語ではキャッシュフロー計算書、英語では Cash Flow Statement、もしくは Statement of Cash Flows と呼ばれています。日本ではCFよりもキャッシュフロー計算書とそのまま呼ばれることが多いので、本書でもそう呼ぶことにします。

第1章

3色で貸借対照表（BS）を読む

BSを学ぶと、会社の実態がつかめるようになります。会社にどれだけ資産があるのか、どれだけ借金があるのか、今までにどれだけ儲けたかなどが、具体的な数字でわかるようになるのです。

1 BSで覚えておきたい4つのルール

まずは、財務3表のひとつである**BS（バランスシート、貸借対照表）**について、ごく簡単な解説をします。

左の図にある、**A、B、C**を合わせてBSと呼びます。

BSは会社が決めた**ある一定時点での、会社の資産・負債・純資産の状態を表す**ものです。

本書では覚えやすいように青枠は **Asset（資産）のA**、赤枠は **Borrow（借りる）のB**、緑枠は **Net Capital（純資産）のC**としました。以下本書ではA、B、Cと呼んでいきます。BSはABCで説明できます。

このA、B、Cはわかりやすいように設定した本書のオリジナルなので、一般的に使われている用語ではありません。会社の上司に「あの会社、最近Bが増加しているみたいなので、注意が必要です！」なんて報告しても通じないので気を付けて下さいね。**ABCは我々だけの秘密**です。

[BS（バランスシート）]

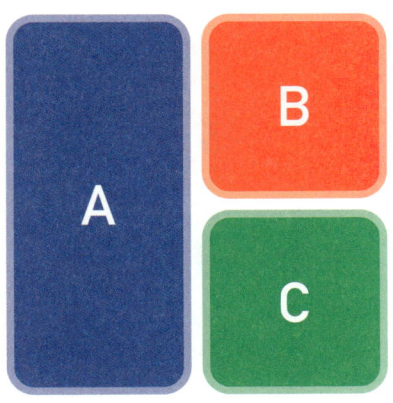

A = <u>A</u>sset（資産）

B = <u>B</u>orrow（負債）

C = Net <u>C</u>apital（純資産）

ルール① A＝B＋C

BSには4つのルールがあります。

ルール①はシンプルで、「A＝B＋C」である、ということです。

Aが100ならB＋Cも100となります。
Aが100、Bが50、Cが50でもいいです。
Aが100、Bが20、Cが80でも構いません。

永遠のルールは、**左側のAと、右側のB＋Cは常に一致する**ということです。

この「**A（資産）＝B（負債）＋C（純資産）**」のバランスが保たれていることから「バランスシート」と呼ばれています。

[ルール① A ＝ B ＋ C]

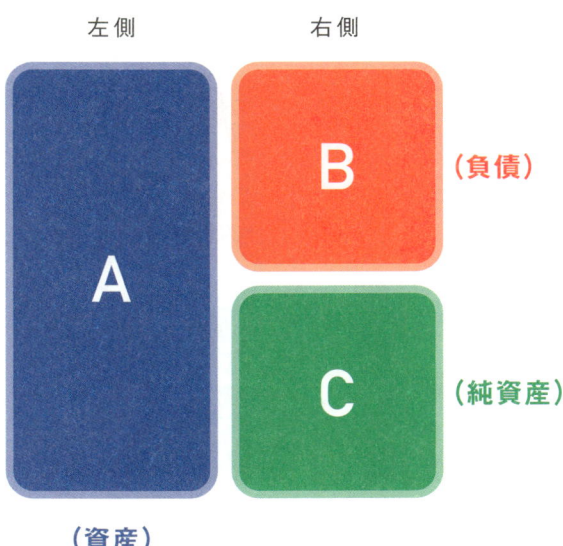

ルール② A（資産）はお金の使い道

2つ目のルールとして、基本的に**A（資産）** は右側の **B（負債）** や **C（純資産）** から入ってきた**お金が資産に変わる場所**で、会社が買ったものや残金が表示されています。つまり **A（資産）** は「お金の使い道」を表しています。

バーゲンに行った後に、買った服を家族に披露するシーンを思い浮かべてみて下さい。その日の予算を使って好きな服を買って、家族のみんなに「こんな服を買ったんだよ！」と並べて、お釣りまで見せてしまうのがAの「資産」です。

会社の決算書に「お金の使い道・H&Mのコート」などと書いてあれば親しみやすいのですが、実際の会社の決算書には、**株などの「有価証券」「商品」「建物」「車」「土地」**など、真面目なものが記載されています。

ただし、真面目な決算書の中にもちょっと変わった記載の例はあります。面白い例では牧場の「繁殖用の牛」、競馬ファンを熱狂させる「サラブレッド」、水族館の「魚」なども条件を満たせばAの資産に載せることができます。また、植物では果樹園の「りんごの木」や「ぶどうの木」も、Aの資産に載せることができるのです。

[ルール② A＝お金の使い道]

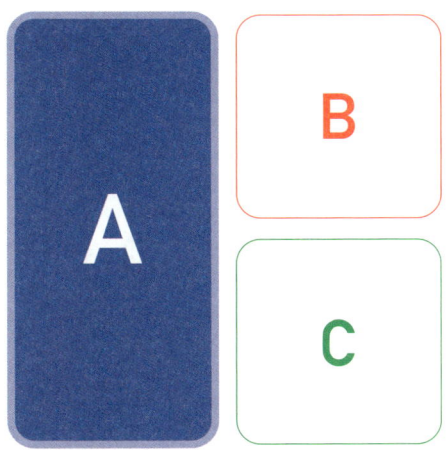

ルール③ B（負債）は必ず返すお金

Bの「負債」とは、簡単に言ってしまえば借金のことです。個人であれば家を買う時に銀行などから借りる住宅ローン、会社であれば事業を行うためのまとまったお金を銀行などから借りる「借入金」などを指します。

B（負債）の特徴は、**必ず返さなければならないお金**だということです。

B（負債）と次に紹介するC（純資産）の違いは、B（負債）の借りたお金は必ず返す必要があり、C（純資産）のお金は返さなくていいということです。

有名になったドラマの倍返し、怖いですね。B（負債）はそんなイメージです。

しかし、B（負債）は会社が成長するために必要なお金にもなります。みなさんがよく知っている企業も負債を上手く使って会社を成長させていますので、そのカラクリについてもおいおい紹介していきます。

[ルール③ B＝必ず返すお金]

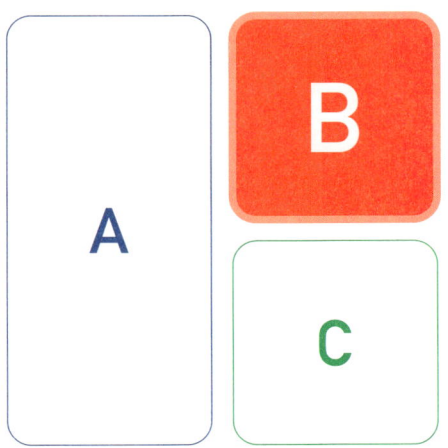

ルール④　C（純資産）は返さなくていいお金

Cの純資産の特徴は、基本的に返さなくていいお金だということです。これは、

（1）資本金
（2）過去の利益の蓄積
（3）その他の項目

で構成されています。

（1）の資本金とは、**最初に会社を始める時に必要なお金**です。会社が活動するためのお金のことで、資本金を出す人は自分でも他の人でも構いません。

自分以外の、他からお金を出してくれた人は「投資家」と呼ばれていて、会社に利益が出た場合は利益の一部を投資家に分配したりします。

利益の全部を投資家に分配してしまうと、会社が活動するための資金が減ってしまうので、会社は活動に支障のないように計算して、分配する金額を決めます。

（2）と（3）については、のちほど紹介します。

[ルール④ C＝返さなくていいお金]

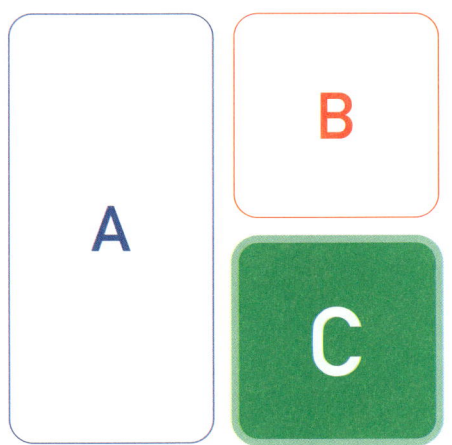

2 自分でBSを作ってみよう

では、ウォーミングアップとして、レストランを始めるつもりで簡単なBSを作っていきましょう。

決算書を完璧に勉強してからビジネスを始める人は、あまりいません。多くの経営者は、実際に**ビジネスを経験していく中で、決算書の感覚を身に付けていくもの**です。ですからここからは、自分がビジネスを始めるつもりになって、決算書を理解していきましょう。

会計はルネッサンス期のイタリアで発展したと言われていますので、イタリアつながりということでピザ屋を始めてみることにします。

手元に開店資金が100万円あるとして、まずはそのうちの80万円を使って**ピザ屋を始めるために必要な道具**を揃えてみます。

ひとくちに「ピザ屋」といっても、イタリアで修業したピザ職人が本格的な石窯で焼くお店から、業務用オーブンで焼く宅配ピザチェーン店までいろいろあります。こ

[料金表]

▶最高級レジスター	50万円	▶イタリア製テーブルセット	50万円
▶普通のレジスター	15万円	▶普通のテーブルセット	25万円
▶イタリア製ユニフォーム	30万円	▶イタリア製フォークセット	20万円
▶普通のユニフォーム	20万円	▶冷蔵庫	10万円
▶金の皿セット	50万円	▶ハーレーのバイク	200万円
▶銀の皿セット	25万円	▶普通のバイク	50万円
▶普通の皿セット	15万円	▶まあまあ焼きあがる窯	200万円
▶業務用オーブン	100万円	▶最高に焼きあがる窯	300万円

買物合計 _____　　　**残金** _____

※80万円で買えないものは、後で入手方法を一緒に考えましょう。
※10万円未満のものは通常では経費となりますので、ここでは全て10万円以上にしてあります。

こでは、本格的な石窯で焼くお店をイメージして進めていきます。

上の表のように、お店を始めるために必要な道具の「料金表」を作ってみました。買いたいものに〇を付けて、残金を計算してみます。

例えば15万円の「普通のレジスター」を買ったら、残金は85万円になります（本書では消費税を考慮する必要はありません）。

それでは、これからBSを作ってみましょう。使うのは**もちろん3色ペン**です。

ステップ1

まずは次のような**青枠**、**赤枠**、**緑枠**を描きます。

並び順は**Aの青枠**が左側にきて、**Bの赤枠**が右上にきます。そして**Cの緑枠**は右下です。

この並び順は非常に重要で、本書を通じてずっとこの並び順で話が進んでいきますので、忘れないで下さい。

覚えていただきたいポイントは、**お金の流れを右側から左側に書くイメージを持つ**ことです。

つまり**緑枠**の中身を先に書いて、次に**青枠**の中身を書くということです。

どういうことなのか、これから説明していきます。

[ステップ1]

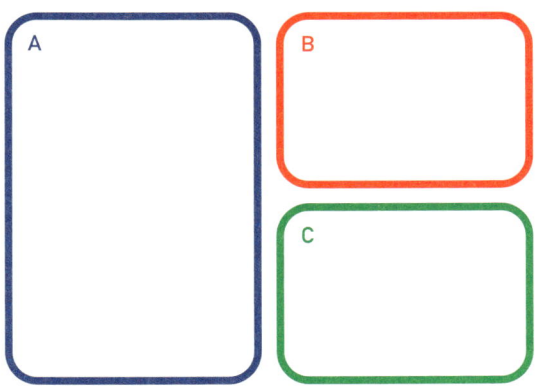

POINT イメージは右から左です！

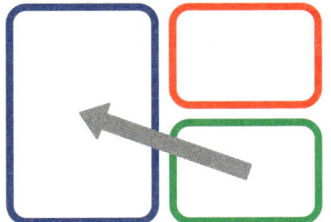

ステップ2

まず、自分が最初に持っていた開店資金を会社に提供します。出資したお金（100万円）は**Cの緑枠**に書きます。商売を始めるお金なので、Cの緑枠の中では「資本金」と呼んでおきます。これがルール④で説明した「資本金」です。

ステップ3

ルール①で学んだ、**A＝B＋Cのバランスを取る必要があるので、Cの緑枠**に書いた後には、**Aの青枠**に「現金」100万円と書きます。
Cの欄に「資本金」として100万円が記録されて、会社の資産、つまり**使えるお金としての「現金」100万円**がAの欄に表示されることになります。

A（100万円）＝B（0円）＋C（100万円）

でバランスが取れています。

[ステップ2]

A

B

C
資本金 100万円

[ステップ3]

A
現金 100万円

B

C
資本金 100万円

左側合計 100万円　　右側合計 100万円

A 100万円 ＝ **B** 0円 ＋ **C** 100万円

Aに現金が入ったところで、次は、実際に料金表から道具を買ってみたいと思います。せっかくなら最高級のピザを提供するピザ屋をやってみたいところですが、手持ちのお金にも限りがあるので、今回はまず、**「普通の皿セット」15万円を買ってみる**ことにします。

ステップ4

先ほど**A**に書き込んだ「現金」100万円で品物を買うので、**A**の中で「現金」15万円を減らして、「普通の皿セット」15万円を記載します。

Aの現金は減ったので、残高の現金85万円が表示されます。

この例では、**Aの青枠**の中でのみ現金が動いて、**Cの緑枠**は変化がありませんでした。

Cの中にある**資本金は通常、会社に現金が出資された時に記載**されます。追加で現金が出資されると資本金が増えますが、特別なことがない限り、資本金は減りません。

[料金表]

▶最高級レジスター	50万円	▶イタリア製テーブルセット	50万円
▶普通のレジスター	15万円	▶普通のテーブルセット	25万円
▶イタリア製ユニフォーム	30万円	▶イタリア製フォークセット	20万円
▶普通のユニフォーム	20万円	▶冷蔵庫	10万円
▶金の皿セット	50万円	▶ハーレーのバイク	200万円
▶銀の皿セット	25万円	▶普通のバイク	50万円
▶普通の皿セット	**15万円**	▶まあまあ焼きあがる窯	200万円
▶業務用オーブン	100万円	▶最高に焼きあがる窯	300万円

買物合計　15万円　　　**残金　85万円**

[ステップ4]

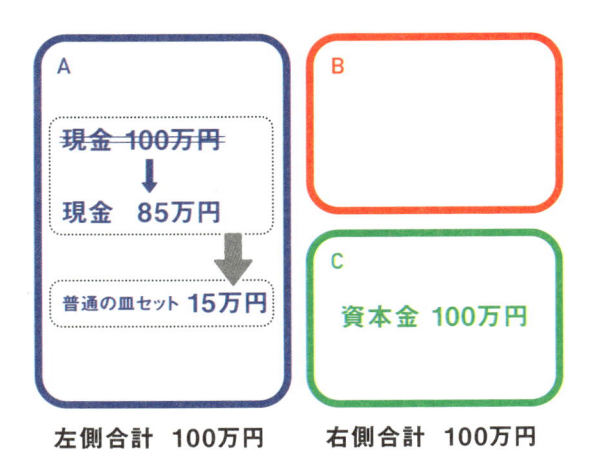

A
現金 100万円
↓
現金 85万円

普通の皿セット 15万円

左側合計　100万円

B

C
資本金 100万円

右側合計　100万円

資本金は**現金が出資されたことを知らせてくれる役割を果たし**、それが緑枠の中に記録されるだけなので、実際に使えるお金としての現金が動くのは青枠の中なのです。

A（85万円＋15万円）＝ B（0円）＋ C（100万円）

これで、バランスを取ることができました。

もうこれだけで立派な**BSの出来上がり**です！
繰り返しになりますが、ここでのポイントは「返さなくていい」右側の緑枠からお**金が入ってきて、青枠で「資産」（使えるお金）に変わる**というからくりです。

ステップ5

まだ現金が85万円あるので、さらに次の品物を買うとどうなるでしょうか。

[**料金表**]

▶最高級レジスター	50万円	▶イタリア製テーブルセット	50万円
▶**普通のレジスター**	**15万円**	▶**普通のテーブルセット**	**25万円**
▶イタリア製ユニフォーム	30万円	▶イタリア製フォークセット	20万円
▶普通のユニフォーム	20万円	▶**冷蔵庫**	**10万円**
▶金の皿セット	50万円	▶ハーレーのバイク	200万円
▶銀の皿セット	25万円	▶普通のバイク	50万円
▶**普通の皿セット**	**15万円**	▶まあまあ焼きあがる窯	200万円
▶業務用オーブン	100万円	▶最高に焼きあがる窯	300万円

| 買物合計 | **65万円** | 残金 | **35万円** |

「普通のレジスター」15万円
「普通のテーブルセット」25万円
「冷蔵庫」10万円

これら3点を追加で購入すると合計で50万円となり、現金の残高は、
85万円－50万円＝35万円
になります。

これを先ほどのBSに追加すると、43ページの図のようになります。

「現金」が50万円減って、「普通のレジスター」「普通のテーブルセット」「冷蔵庫」が**A**の中で増えました。

買った資産が増えれば増えるほど、**A**の中に買った資産が表示され、現金は減少していきます。

ルール②のバーゲンの話を思い出して下さい。買った服は次々とAの資産に表示され、お釣りである現金はどんどん減っていきます。**Aは会社の資産を開示する場所**ということを覚えておいて下さい。

さて、ここまで**A（資産）**、**C（純資産）**の話ばかりしていましたが、**B（負債）**の話が出てきませんでしたね。

ここまでは自分のお金という、返さなくてよいお金で買い物をしてきましたが、も**しお金が足りなかった場合**はどうすればよいのでしょうか？

次のステップでは、料金表に載っていた３００万円の「最高に焼きあがる窯」を買う方法を考えることにします。

42

[ステップ5]

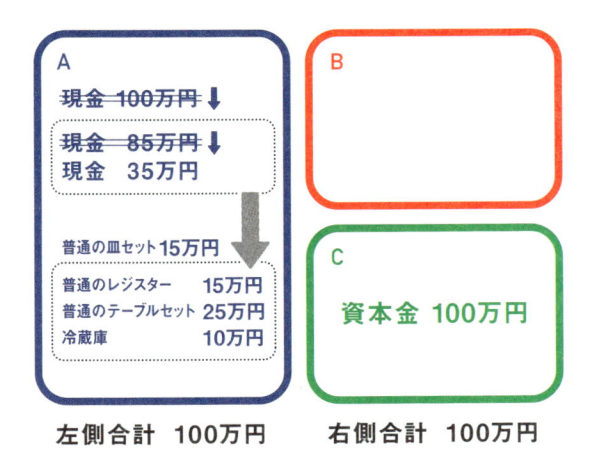

A
~~現金 100万円~~ ↓
~~現金　85万円~~ ↓
現金　35万円

普通の皿セット 15万円
普通のレジスター　　　15万円
普通のテーブルセット 25万円
冷蔵庫　　　　　　　　10万円

B

C
資本金 100万円

左側合計　100万円　　　右側合計　100万円

ステップ6

銀行から**お金を借りて品物を買ってみる**ことにします。

今回は特別に銀行から300万円を借りることができましたので、まずは**Bの赤枠**に、借りたお金「借入金」300万円と書き入れます。

Bの赤枠に300万円が記載されることによって、**Cの緑枠**の100万円と比較して**枠が大きくなった**ことに気が付きましたか？

実際の決算書では書式上、枠の大きさは変わりませんが、3色決算書法では実際の金額を実感してもらうために、**Aの青枠、Bの赤枠、Cの緑枠**を大きくさせたり、小さくさせたりします。

このあたりも気を付けてご覧いただくと、**B（負債）**からお金を入手したのか、**C（純資産）**からお金を入手したのか、徐々にわかるようになっていきます。

[ステップ6]

A

~~現金　　　100万円~~ ↓
~~現金　　　 85万円~~ ↓
現金　　　　35万円

普通の皿セット　　　15万円
普通のレジスター　　15万円
普通のテーブルセット 25万円
冷蔵庫　　　　　　　10万円

B

借入金 300万円

C

資本金 100万円

ステップ7

Bの赤枠に「借入金」300万円が入ったので、A＝B＋Cのバランスを保つためにAの青枠に「現金」300万円を書き込みます。

おさらいですが、お金の入ってくるイメージは右側から左側です。

A（400万円）＝ B（300万円）＋ C（100万円）

となり、バランスが取れています。

ステップ8

「最高に焼きあがる窯」を買うので、Aの中で「現金」300万円を減らして、同じAの中で「最高に焼きあがる窯」300万円を増やします。

Aの枠内だけでお金が移動したので、BとCは変化せず、

A（400万円）＝ B（300万円）＋ C（100万円）

となり、バランスを保つことができています。

[ステップ7]

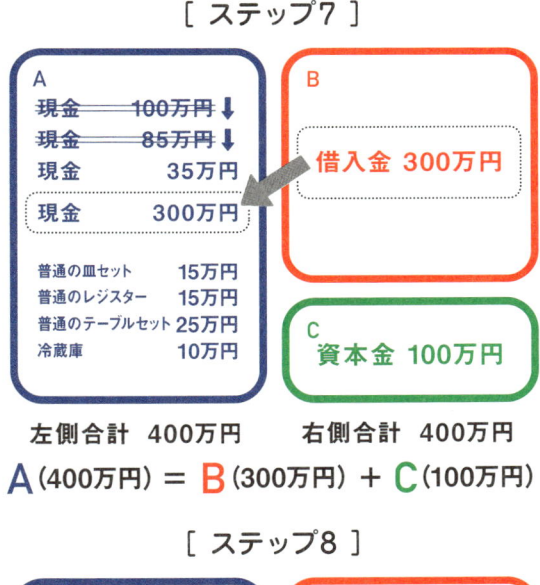

A
- 現金 ~~100万円~~ ↓
- 現金 ~~85万円~~ ↓
- 現金 35万円
- 現金 300万円

- 普通の皿セット 15万円
- 普通のレジスター 15万円
- 普通のテーブルセット 25万円
- 冷蔵庫 10万円

B
借入金 300万円

C
資本金 100万円

左側合計 400万円　　右側合計 400万円

A(400万円) = B(300万円) + C(100万円)

[ステップ8]

A
- 現金 ~~100万円~~ ↓
- 現金 ~~85万円~~ ↓
- 現金 35万円
- ~~現金 300万円~~

- 普通の皿セット 15万円
- 普通のレジスター 15万円
- 普通のテーブルセット 25万円
- 冷蔵庫 10万円
- 最高に焼きあがる窯 300万円

B
借入金 300万円

C
資本金 100万円

左側合計 400万円　　右側合計 400万円

A(400万円) = B(300万円) + C(100万円)

Aの青枠の中がごちゃごちゃしてきたので、使った「現金」を消して整理すると左図のようになります。

これでだいぶスッキリしました。

借入金と資本金で入手した現金400万円は、35万円まで減りました。

その代わりに他の資産がだいぶ増えてきました。

ウォーミングアップはいかがでしたか？

BSの基本形はこのように**B（負債）・C（純資産）からお金が入ってきて、Aで資産に変わる**というものです。

このような取引を行うことで、ピザを売っていく準備がだんだんと整っていくのです。

A	B
現金　　　　　　35万円　　　　　　　　　　　　　　　　　　普通の皿セット　　15万円　　　　　　　　　　　　　　　　普通のレジスター　15万円　　　　　　　　　　　　　　　　普通のテーブルセット 25万円　　　　　　　　　　　　　　冷蔵庫　　　　　　10万円　　　　　　　　　　　　　　　　最高に焼きあがる窯 300万円	借入金 300万円

C
資本金 100万円

左側合計　400万円　　**右側合計　400万円**

3 3色ペンなら、企業のBSがすんなりわかる

● 企業のBSを3色ペンで囲うだけ

ここまではBSを作成してみましたが、そもそもBSとは何でしょうか。前に述べたように、BSは会社が決めたある一定の時点での、会社の資産、負債、純資産の状態を表すものです。

「ある一定の時点」は「決算日」と呼ばれますが、決算日をいつにしても特に決まりはないので問題ありません。日本では3月決算が多く、海外では12月決算が主流となっています。最近では海外の動きに合わせて、日本でも12月決算に移行する会社が増えてきています。

一般的に、日本では3月末になると、**会社が所有している資産や払うべき負債**を確認して、決算書を作ります。

よく、3月末に「決算の棚卸につきお休みをいただきます」という張り紙を見かけませんか？ 棚卸とは、会社が持っている**商品の数量や状況を把握して、決算書に数値を反映させる**ために行うものです。

[BS（貸借対照表）とは]

決算日時点での会社の資産・負債・純資産の状態を表すもの

(単位：百万円)

	平成×年×月×日		平成×年×月×日
資産の部		負債の部	
流動資産	210	流動負債	130
現金及び預金	110	買掛金	80
売掛金	40	短期借入金	50
有価証券	10		
商品	50	固定負債	160
		長期借入金	160
固定資産	250		
建物及び構築物	100	負債合計	290
機械装置及び運搬具	60	純資産の部	
工具、器具及び備品	40	資本金	80
土地	50	資本剰余金	10
		利益剰余金	80
		純資産合計	170
資産合計	460	負債純資産合計	460

　上の表が一般的に使われているBSです。一瞬見ただけでは何を表しているのかわかりませんね。そこで、3色ペンの出番です。

　先ほどA（青）、B（赤）、C（緑）で線を描いたように、BSの上を3色ペンで囲ってみます。A（青）は左側の「資産の部」で、B（赤）は右上の「負債の部」C（緑）は右下の「純資産の部」となります。

　こうしてみると52ページの表のようになり、先ほどのピザ屋と同じ形のBSになりませんか？

　つまりこの会社の例では、B（負債）の返さなければいけない290百万円とC（純資産）の返さなくてもいい170百万

[BS（貸借対照表）]

(単位：百万円)

資産の部	平成×年×月×日	負債の部	平成×年×月×日
流動資産	210	流動負債	130
現金及び預金	110	買掛金	80
売掛金	40	短期借入金	50
有価証券	10		
商品	50	固定負債	160
	(A)	長期借入金	160
固定資産	250		
建物及び構築物	100	負債合計	290
機械装置及び運搬具	60	純資産の部	
工具、器具及び備品	40	資本金	80
土地	50	資本剰余金	10
		利益剰余金	80
		純資産合計	170
資産合計	460	負債純資産合計	460

円を使って、資産を購入して、その結果が**Aの青枠**に表示されているということになります。

難しそうなBSも、3色ペンで色を塗るとイメージが湧いて理解がラクになるのです。

● **A・B・Cはさらに分解できる**

次に、**A（資産）・B（負債）・C（純資産）**はさらに分解することができます。

Aは、1年以内にお金に換えられる**「流動資産」**と、1年以上所有する予定で、販売することを目的としない**「固定資産」**に分けられます。

流動資産には、「現金」、銀行などに預け

52

[BSのA（資産）]

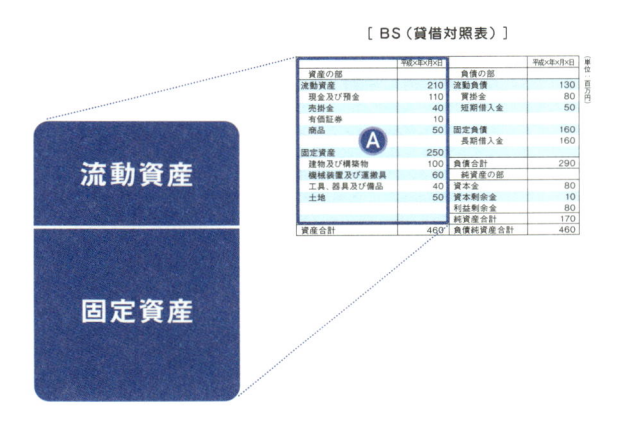

[BS（貸借対照表）]

資産の部	平成×年×月×日	負債の部	平成×年×月×日
			単位：百万円
流動資産	210	流動負債	130
現金及び預金	110	買掛金	80
売掛金	40	短期借入金	50
有価証券	10		
商品	50	固定負債	160
		長期借入金	160
固定資産	250		
建物及び構築物	100	負債合計	290
機械装置及び運搬具	60	純資産の部	
工具、器具及び備品	40	資本金	80
土地	50	資本剰余金	10
		利益剰余金	80
		純資産合計	170
資産合計	460	負債純資産合計	460

流動資産

固定資産

ている「預金」、商品を売った時の"つけ"である「売掛金」、株などの「有価証券」、売るための「商品」などが含まれます。

一方の固定資産には、オフィスや工場などの「建物」「土地」、営業などで使う「自動車」などが含まれます。

自動車で営業をしているような会社は自動車の所有が多いでしょうし、工場で物を作っている会社は土地や建物の所有が多くなります。

これらの資産は通常、**1年以上所有するものなので、固定資産**として決算書に表示されます。

また、流動資産と固定資産を分けるもう

ひとつの判断基準として、**本業で売る商品かどうか**ということがあります。

例えば自動車を製造している会社では車を商品として持っている一方、営業車を営業活動のために使っています。この場合は、商品として売る車は流動資産に、営業活動として使う車は固定資産となります。

会社は本業で売る商品とそうでないものを、流動資産と固定資産に分けて記載しているのです。

次に、**B（負債）**の分解のしかたを見てみましょう。

B（負債）は、1年以内に返す予定の**「流動負債」**と、返す予定が1年以上先の**「固定負債」**に分解できます。

流動負債には、1年以内に返す予定のある短期の「借入金」や、商品を買った時の"つけ"である「買掛金」などが含まれます。

一方、固定負債には、1年以上先に返す予定の長期の「借入金」などが含まれます。よく顔を出すのが「社債」です。「国債」は、国が特定の目的を達成するための資金調達として、お金を集める借金ですが、社債も同じです。会社を

[BSのB（負債）とC（純資産）］

[BS（貸借対照表）]

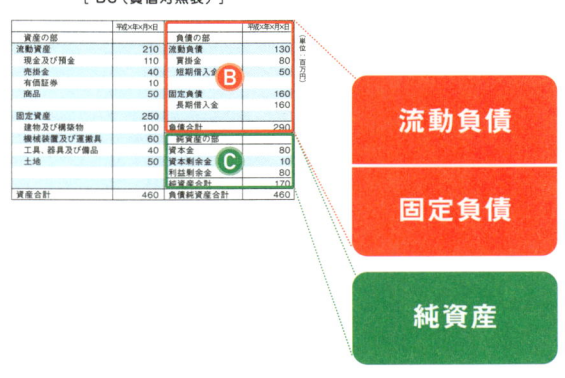

	平成×年×月×日		平成×年×月×日
資産の部		負債の部	（単位：百万円）
流動資産	210	流動負債	130
現金及び預金	110	買掛金	80
売掛金	40	短期借入金	50
有価証券	10		
商品	50	固定負債	160
		長期借入金	160
固定資産	250		
建物及び構築物	100	負債合計	290
機械装置及び運搬具	60	純資産の部	
工具、器具及び備品	40	資本金	80
土地	50	資本剰余金	10
		利益剰余金	80
		純資産合計	170
資産合計	460	負債純資産合計	460

流動負債

固定負債

純資産

運営していくうえで、お金が必要となった時に、**お金を調達する手段**として社債と呼ばれる債券を発行します。

社債と株式との違いは？ という質問がありますが、一番大きな違いは3色決算書法でいうところの **B** と **C** の違いです。社債は決まった日までに返さなければいけないお金（**B**）で、株式は返さなくてもよいお金（**C**）です。

なお、1年以内に返す予定がある社債は「流動負債」に入り、それ以外の場合は「固定負債」になります。

●現金化しやすいものから順に並んでいる

ピザ屋の**BSを流動と固定に分けてみると**、左図のようになります。**C（純資産）**には流動と固定の概念がありません。

先ほどは商品を購入して**A（資産）**に書き込みましたが、全ての資産をひとつひとつ表示するのは大変なので、**同種類の資産ごとにまとめて表示する**ことができます。普通の皿セット、普通のレジスター、普通のテーブルセット、冷蔵庫は「器具備品」としてまとめることができ、最高に焼きあがる窯は「機械装置」と表示できます。

また、並び順は現金に換えやすい器具備品が上で、現金に換えにくい機械装置がその下になります。

フリーマーケットで器具備品と機械装置を売ることを想像してみて下さい。皿セットやテーブルセットは比較的買い手がつきやすいと思いますが、窯などは持ち運びも難しく、買い手がつきにくいと思います。

このように、**買い手がつきやすく、現金化しやすいものが枠内の上部**に表示されます。

A
〈流動資産〉
現金　　　35万円

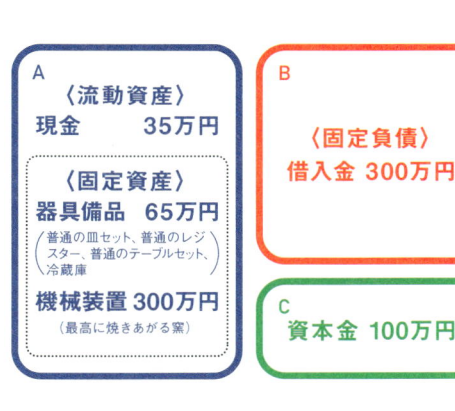

〈固定資産〉
器具備品　65万円
(普通の皿セット、普通のレジスター、普通のテーブルセット、冷蔵庫)
機械装置 300万円
〈最高に焼きあがる窯〉

B
〈固定負債〉
借入金 300万円

C
資本金 100万円

「流動資産」「固定資産」に分ける場合、現金は「流動資産」に分類され、器具備品と機械装置は1年以上使用することを想定しているので「固定資産」に分類されます。

また、負債に関しては、ピザ屋の借入金は1年以内に返済する予定はないので、「固定負債」に分類されます。

ただし、例えば3年のローンを組んでいて、300万円のうち、1年以内に100万円は返済する予定ならば、その100万円は「流動負債」に分類されるので注意して下さい。

●Cが大きいのは、過去の利益が貯まっている証拠

C（純資産）の分解は、ルール④のところで触れたように、

（1）資本金
（2）過去の利益の蓄積
（3）その他の項目

という分け方になります。

「資本金」についてはすでに説明しましたので、ここでは「過去の利益の蓄積」に関してお話しします。

C（純資産）の中身を詳しく見てみると、左ページの表のようになっています。

この話は第2章で詳しく触れますが、会社が得た利益は「過去の利益」「昨年度の利益」「今年度の利益」としてBSのC（純資産）に毎年地層のように貯まっていくのです。

[C（純資産）の拡大図]

[BS（貸借対照表）]

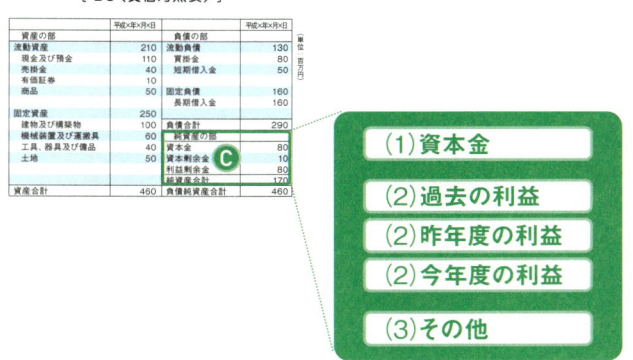

資産の部	平成×年×月×日	負債の部	平成×年×月×日
流動資産	210	流動負債	130
現金及び預金	110	買掛金	80
売掛金	40	短期借入金	50
有価証券	10		
商品	50	固定負債	160
		長期借入金	160
固定資産	250		
建物及び構築物	100	負債合計	290
機械装置及び運搬具	60	純資産の部	
工具、器具及び備品	40	資本金	80
土地	50	資本剰余金	10
		利益剰余金	80
		純資産合計	170
資産合計	460	負債純資産合計	460

- (1) 資本金
- (2) 過去の利益
- (2) 昨年度の利益
- (2) 今年度の利益
- (3) その他

これを本書では**「利益の地層」**と呼ぶことにします。正式名称は**利益剰余金**です。

61ページの図で「過去の利益が貯まっている場合」と「過去の利益が減ってきた場合」のBSを表示してみました。

会社の景気がよい時は利益の地層が段々と厚くなって、Cの純資産が大きくなっていきます。

逆に景気が悪くなって、赤字が続いてしまうと、せっかく貯めた地層が侵食されて、C（純資産）は小さくなっていってしまうのです。

ところで、よくある質問で、「B（負債）

の借入金や、C（純資産）の資本金は『～金』という名前が付くので、Bの負債やCの純資産の中にも現金があるんですよね？」というものがあります。

しかし、借入金や資本金などの「～金」というのは、**お金が入ってきた事実を管理するだけの名称**で、Bの負債やCの純資産の中に本物の「現金」があるという意味ではありません。

物を買うことのできる**現金は、必ずA（資産）の中に入っている**ので注意して下さい。

C（純資産）に含まれる3つ目の「その他」には、「新株予約権」などと呼ばれる、会社の株を買うことができる権利などが含まれます。ほかにも含まれるものがあるのですが、説明が複雑になりますのでここでは割愛します。決算書を読むのに慣れてきたら、ぜひ調べてみて下さい。

[C（純資産）過去の利益が貯まっている場合]

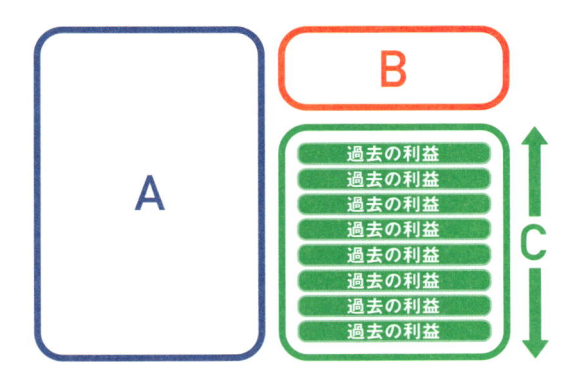

[C（純資産）過去の利益が減ってきた場合]

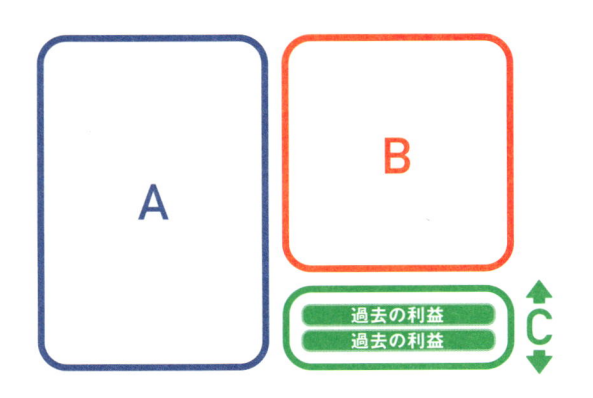

● 上場している会社の決算書は入手できる

株式を**上場している会社は必ず決算書を公開**しています。各社のホームページにある「会社情報」「IR情報」（IRは「Investor Relations」の略で、これから株を購入する人や、すでに株を所有している人向けの会社の広報活動）「投資家情報」などから、「有価証券報告書」や「決算短信」や「アニュアルレポート」で決算書を探してみて下さい。

「有価証券報告書」は、証券取引所で株式公開している会社が経営状況などを、毎年どの会社も同じ形式で報告しているものです。

「決算短信」は、証券取引所に株式公開している会社が、決算の状況のポイントを速報で簡潔にまとめた報告書です。

「アニュアルレポート」は、有価証券報告書と似ていますが、有価証券報告書と違って、会社ごとに工夫して色を使いポイントなどをまとめていて個性があります。

とくにアニュアルレポートは、**会社を知る読み物**として非常に優れています。アメ

リカの有名な投資家であるウォーレン・バフェット氏にとっても、投資する際にアニュアルレポートは欠かせないと言われています。
興味のある会社があれば、アニュアルレポートを入手して、**どんな会社なのか調べてみるのもおすすめ**です。

クイズ プロ野球チームの親会社のBSを当ててみよう

人間が十人十色であるように、会社のBSの形も業種によってそれぞれ特徴があるものです。

ここでは、みなさんが知っている会社のBSを紹介します。

ダルビッシュ有投手がいた日本ハムや、マー君こと田中将大投手がいた楽天など、プロ野球チームの名前は多くの方が知っているかと思いますので、**プロ野球球団の親会社の決算書**を見ていくことにします。

決算書の情報を得ることができたのは、「有価証券報告書」を発行している「阪急阪神ホールディングス」「ヤクルト本社」「ディー・エヌ・エー（DeNA）」「日本ハム」「西武ホールディングス」「オリックス」「ソフトバンク」「楽天」です。

また親会社ではありませんが、広島東洋カープの大株主である「マツダ」も加えると、9社です。

「読売新聞グループ本社」「中日新聞社」「ロッテホールディングス」は、株式市場に上場していない非上場の会社なので、決算書の入手はできませんでした（ホールディ

64

[プロ野球球団親会社の総資産額順位]

順位	会社名	セ・パ	総資産額	決算日
1位	オリックス	パ・リーグ	84,397億円	2013年3月期
2位	ソフトバンク	パ・リーグ	65,249億円	2013年3月期
3位	阪急阪神HD	セ・リーグ	22,810億円	2013年3月期
4位	楽天	パ・リーグ	21,084億円	2012年12月期
5位	マツダ	セ・リーグ	19,786億円	2013年3月期
6位	西武HD	パ・リーグ	14,030億円	2013年3月期
7位	日本ハム	パ・リーグ	6,103億円	2013年3月期
8位	ヤクルト本社	セ・リーグ	4,382億円	2013年3月期
9位	DeNA	セ・リーグ	1,948億円	2013年3月期
対象外	ロッテHD	パ・リーグ	―	―
対象外	読売新聞グループ本社	セ・リーグ	―	―
対象外	中日新聞社	セ・リーグ	―	―

（2012年度の有価証券報告書を元に作成）

ングスは以下HDとします）。

ちなみに**2012年度の「総資産」の順位**は、上の通りです。

2014年のパ・リーグのペナントレースで1位と2位を争っていたのはオリックスとソフトバンクですので、やはり親会社の総資産とプロ野球の順位は比例するのでしょうか。2014年に3年連続セ・リーグ優勝を果たしたジャイアンツ（読売新聞グループ本社）の決算書を見られないのが残念ですね。

クイズ1 「ソフトバンク」と「楽天」のBS、どっちがどっち?

先ほど学習した「流動資産」「固定資産」「流動負債」「固定負債」「純資産」を百分率(%)で表示してみました。

次のBSが、「ソフトバンク」か「楽天」のどちらに当てはまるか、考えてみて下さい。

ヒントは「固定資産」です。

固定資産には建物や土地が含まれるので、設備を必要とする会社は必然的に固定資産が多くなります。

逆に、サービス業のように設備をあまり必要としない業種は、固定資産が少なくなります。

会社が行っている事業を考えながら、じっくり考えてみて下さいね!

①

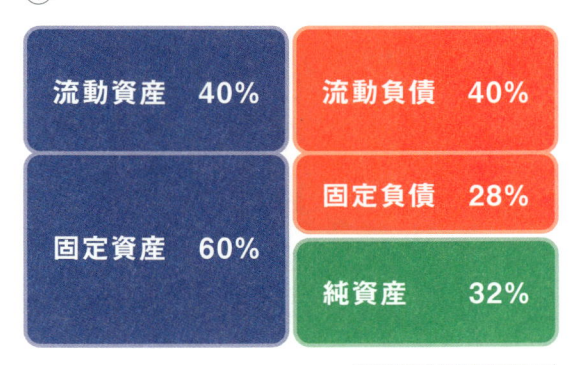

流動資産 40%	流動負債 40%
固定資産 60%	固定負債 28%
	純資産 32%

(2012年度 有価証券報告書より)

②

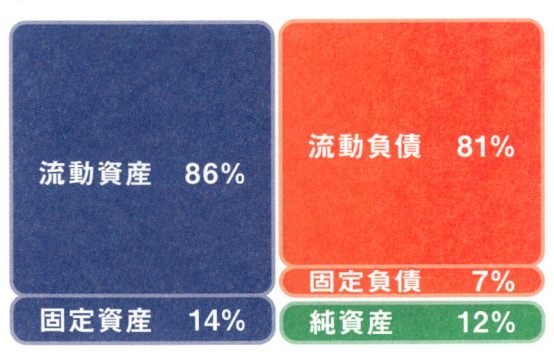

流動資産 86%	流動負債 81%
固定資産 14%	固定負債 7%
	純資産 12%

(2012年度 有価証券報告書より)

A 正解は ① ソフトバンク ② 楽天 です。

同じIT企業でも、**ソフトバンクと楽天のビジネスモデル（お金を獲得している方法）は異なります。**

楽天は固定資産をあまり使わない、インターネットを軸としたビジネスモデルですが、ソフトバンクはインターネット事業以外にも携帯電話の基地局を持っていることから、楽天よりも固定資産の割合が高くなっています。

ソフトバンクは1981年に設立された会社です。孫正義社長は創業当時、みかん箱の上に立って、「豆腐を一丁、二丁と数えるように売上を一兆、二兆と稼ぐ」と宣言したという伝説が残っていますが、有言実行で兆単位のビジネスを行っています。

現在では「移動通信事業」（携帯電話サービス）「スプリント事業」「固定通信事業」を手掛けており、「移動通信事業」が主な収益源となっています。

その移動体通信事業で使う、アンテナなどの**通信機械設備を多く持っている**ために、固定資産が多くなっています。

一方の楽天は1997年に設立された会社です。ソフトバンクと同じIT企業です

が、事業内容が異なり、楽天は「インターネットサービス」(楽天市場など)と「インターネット金融事業」(クレジットカード事業、銀行業、証券業、生命保険業)などから収益をあげています。

楽天の**流動資産と流動負債が多いのは、楽天が銀行業を行っているために、流動資産を**で運用している有価証券が流動資産に含まれるために、流動資産を押し上げています。
また、お客様から預かっている預金が楽天の流動負債に含まれるので、流動負債を大きく押し上げています。

楽天市場のイメージが強い楽天ですが、**インターネット金融事業も着実に成長しているようです。**

話は脱線しますが、プロ野球球団の親会社は、それぞれの時代に繁栄した業界の一部がなることが多いようです。プロ野球がセ・リーグとパ・リーグに分かれた1950年頃にプロ野球を支えた親会社は、戦後の日本を支え、高度経済成長に貢献した鉄道会社(阪神、近鉄、西鉄、阪急、東急、南海)、新聞社(読売、毎日、中日、西日本)、映画会社(大映、松竹)などです。

その後、文化や食生活が豊かになってくると、最初に参入していた大洋漁業に加え、食品会社（ロッテ、ヤクルト、日本ハム）が参入してきました。

1990年頃になると、業界トップだったスーパーのダイエー、リース会社のオリックスが参入し、プロ野球の親会社の世代交代が行われます。

最近ではIT企業（ソフトバンク、楽天、DeNA）が参入し、現在の形になりました。

その**時代ごとに活躍していた会社のおかげで、現在のプロ野球がある**のですね。

クイズ2 このBSは何の業種を表している？

③と④はどちらも同じ業種です。この業種が何に当てはまるのか、考えてみて下さい。

Ⓐサービス業　Ⓑ食品業　Ⓒ陸運業

③

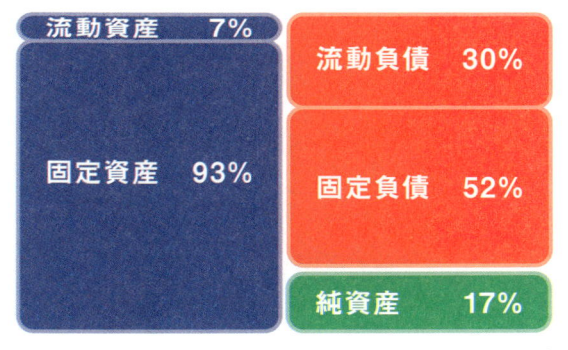

流動資産 7%	流動負債 30%
固定資産 93%	固定負債 52%
	純資産 17%

(2012年度 有価証券報告書より)

④

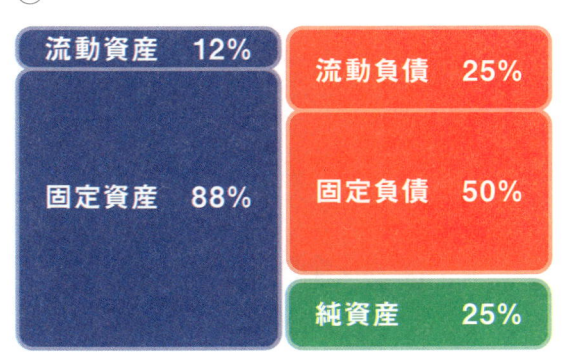

流動資産 12%	流動負債 25%
固定資産 88%	固定負債 50%
	純資産 25%

(2012年度 有価証券報告書より)

A 正解は ©の陸運業 です。

③は西武HDで、④は阪急阪神HDです。西武HDと阪急阪神HDは、電車や不動産などを所有しているために「固定資産」が多くなっています。この**2つの会社のビジネスモデルはとてもよく似ている**ため、BSの形も似ています。

西武HDは1912年に、西武鉄道の前身となる武蔵野鉄道からスタートしました。現在の事業内容は「都市交通事業」(鉄道・バス等)、「ホテル・レジャー事業」「不動産事業」「建設事業」などですが、「都市交通事業」と「ホテル・レジャー事業」が大きな収益源となっています。

西武HDのBSの**特徴は、固定資産が多いこと**です。これは西武鉄道などの「都市交通事業」や、「ホテル・レジャー事業」が建物や土地を所有しているためです。このように、鉄道などのインフラを所有している会社は、固定資産が多くなる傾向があります。

一方の阪急阪神HDは、前身の箕面有馬電気軌道が1907年に設立されたところから始まります。

阪急阪神HDの事業は「都市交通事業」「不動産事業」「エンタテインメント・コミュニケーション事業」「旅行事業」「国際輸送事業」「ホテル事業」から成り立っていて、主な事業は阪急電鉄・阪神電気鉄道の「都市交通事業」、梅田地区を中心とする「不動産事業」、阪神タイガース・宝塚歌劇の「エンタテインメント・コミュニケーション事業」となっています。

西武HDと同様に、**阪急阪神HDも鉄道を所有しており**、固定資産が多くなっています。

ここまでいくつかのBSを見てきて、会社によってBSが似ていたり、違いがあったりすることを理解していただけましたか？

違う業種のBSを見比べて、「この会社は固定資産が多いからダメだ」とか、「負債が多いから心配だ」と決めつけるのは危険です。

それぞれの**ビジネスモデルによってBSの形が異なる**ことから、比較する時は同じ

業種、もしくは同じビジネスモデルで比較することが大切です。
楽天と阪急阪神HDを比較してもBSの形が違いすぎるので、あまり参考にはなりません。財務諸表を分析する時は、西武HDと阪急阪神HDなど、同じ業種で比較することが重要なのです。

第1章のまとめ

▼ BSはA（資産）＝ B（負債）＋ C（純資産）で必ずバランスを取る。

▼ 最初にお金が入ってくるのはB（負債）かC（純資産）のどちらか。

▼ 業種やビジネスモデルによってBSの形が変わる。

コラム A・B・Cが記憶に刻まれる余話

会計が発展した舞台は、中世のイタリア商人が活躍していた14世紀頃の時代にまでさかのぼります。地中海貿易で商業が盛んだったイタリアでは、ルネッサンス期に「複式簿記」が発明されたと言われています（複式簿記については、第3章で取り上げます）。

複式簿記が発明されるまでは、シンプルな「単式簿記」と呼ばれる方法が使われていました。単式簿記は、よく「おこづかい帳」で説明されます。ピザ屋での買い物をおこづかい帳で表すと、左のようになります。

おこづかい帳の良さは簡単に記入できる点ですが、現金だけに焦点を当てているので、BSのように資産の管理ができないのが欠点です。

その後、単式簿記の欠点を解消した複式簿記を広めたのが、イタリア人のルカ・パチョーリです。1494年に『スムマ』と呼ばれる本の中で、複式簿記を体系的に発表し、複式簿記が一気に広まることになります。

[おこづかい帳（単式簿記）]

日付	内容	入金	出金
4月1日	出資してもらう	100万円	
4月2日	普通の皿セットを買う		15万円
4月3日	普通のレジスターを買う		15万円
4月4日	普通のテーブルセットを買う		25万円
4月5日	冷蔵庫を買う		10万円
合計		100万円	65万円

残高　**35万円**

　ルカ・パチョーリは日本ではあまり知られていませんが、かの有名なレオナルド・ダ・ヴィンチと友達で「近代会計学の父」とも呼ばれています。

　時代は流れ、ルネッサンス期に改良された性能のいい羅針盤によって、やがてスペインやポルトガルなどによる大航海時代に突入します。陸地で投資家や金融業者から資金を得た冒険家たちは、海へと飛び出し、資産の獲得を狙います。そして莫大な資産を得た冒険家たちは投資家に利益を還元したのでした。

　これが今回3色決算書法で使っている3色のイメージです。

つまり、左の図にもあるように、大陸で投資家からお金を出資してもらったり（緑）、金融業者からお金を借りたりして（赤）、海に出て資産（青）を獲得し、利益を投資家に還元したり、借金を金融業者に返済したりしました。

冒険家たちはお金を貸してくれた人、出資をしてくれた人に対して、冒険で得た利益を還元しなければならないので、誰にいくら払えばいいのか把握し、丁寧に資産を管理することが必要となりました。

現在でも同じことが言えます。お金を貸してくれた人、会社に出資してくれた人に対して、そのお金を何に使ったか説明する必要があり、そこでBSが重要になってくるのです。

会計は英語で Accounting ですが、Account には説明するという意味が含まれています。

BSがわからなくなったら左の図をイメージして、思い出して下さい。

こうして考えると、ビジネスというのは大航海時代から続く壮大なロマンなのかもしれませんね。

[BSのイメージ図]

| 「資産」は海を渡って獲得するものなので、
海をイメージした青色です。

| 「負債」は必ず返すお金であり、
注意すべき赤色です。

| 「純資産」は大陸を表す緑、
また「株」を大切に育てるイメージで緑です。

第 **2** 章

3色で損益計算書（PL）を読む

PLを学ぶと、会社が本業でどれぐらい儲かっているのか、本業以外でどれぐらい儲かっているのか、会社全体では結局プラスになったのかマイナスになったのかなど、「儲かっているのか？」ということが理解できるようになります。

1 PLで覚えておきたいルール

ここまでBSについて学んできましたが、この章からは、PL（損益計算書）を解説していきます。

BSでは青、赤、緑の3色を使いましたが、**PLでは緑色だけ**を使います。

ルール　売上から費用を引いたものが利益

左ページ上の図がPLの雛形（ひながた）です。PLとは、売上から段階を踏んで費用を引きながら、**1年間の最終的な損益（当期純利益）を計算するもの**です。

BSの場合は、左右でバランスを取りながら計算していきましたが、PLでは単純に「売上高」－「費用」という形で引き算をしていきます。

最初は大きかった売上高が、費用を引くことで徐々に利益が減っていく「逆ピラミッド構造」になっています。最終的に「当期純利益」という形で、1年間の利益を把握することができます。

[PL（損益計算書）]

PL

- ① 売上総利益（粗利益）
- ② 営業利益
- ③ 経常利益
- ④ 税引前当期純利益
- ⑤ 当期純利益

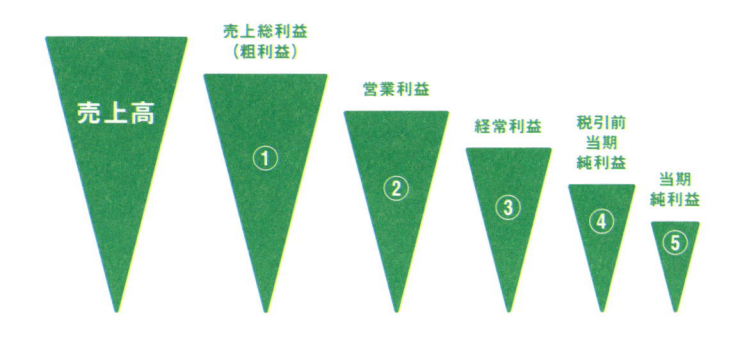

売上高
売上総利益（粗利益）①
営業利益 ②
経常利益 ③
税引前当期純利益 ④
当期純利益 ⑤

2 自分でPLを作ってみよう〈前編〉

ではこれからウォーミングアップとして、PLを作ってみます。

使うのは**緑色のペン**です。

第1章でピザ屋を開店するための道具を揃えましたので、この章ではその道具を使って、ピザを売っていきましょう。

ピザのメニューにもいろいろありますが、このお店で出すメニューは、イタリアや日本でも人気のある次の2つのピザを選んでみました。

「マルゲリータ」（バジリコ、モッツァレラチーズ、トマトを使ったピザ）

「クアトロ・フォルマッジ」（4種類のチーズを使ったピザ）

マルゲリータとクアトロ・フォルマッジの**ピザを、1日各100枚ずつ売る**ことにします。合計で200枚です。

- マルゲリータは、1枚1000円で売ります。
- クアトロ・フォルマッジは、1枚1500円で売ります。
- ピザ200枚は、毎日売り切る予定です。

通常の**PLは1年分の売上と費用を計算する**のですが、今回はウォーミングアップなので、1日分のPLを作ることにします。

それでは次のページから、一緒にPLを作ってみましょう。

ステップ1

まず、**緑色のペン**で緑枠を描き、その中に1日分のピザの売上を記載します。

PLに書き込む時の**正式名称は「売上高」**なので、緑枠の一番上に、「売上高」25万円と書きます。

売上の計算方法は、

マルゲリータ……1000円×100枚＝10万円

クアトロ・フォルマッジ……1500円×100枚＝15万円

以上の計算で算出しました。

[ステップ1]

> 売上高　　　　　　　　　　25万円

[1日分の売上の計算方法]

売上の計算

	単価	枚数	金額
マルゲリータ	1,000円	100枚	100,000円
クアトロ・フォルマッジ	1,500円	100枚	150,000円
合計		200枚	250,000円

ステップ2

次に、**ピザを作るのに掛かった材料費**を計算していきます。簡単な材料リスト（1人前）を作ったので、ここから材料を選んでみます。

・マルゲリータ……このお店では、ベーシックにモッツァレラチーズ、小麦粉、バジリコ、ホールトマトを使います。材料費は1枚250円で、100枚で計算すると2万5000円となります。

・クアトロ・フォルマッジ……最高のピザを作るため、モッツァレラチーズ、ゴルゴンゾーラチーズ、リコッタチーズ、パルミジャーノチーズ、小麦粉を使用します。材料費は1枚650円で、100枚で計算すると6万5000円となります。

2つのピザの材料費を計算すると、左ページの表のようになります。

[材料リスト(マルゲリータ)]

〈チーズ〉
- ▶モッツァレラ　　　150円
- ▶ゴルゴンゾーラ　　150円
- ▶リコッタ　　　　　150円
- ▶パルミジャーノ　　150円
- ▶ゴーダ　　　　　　100円
- ▶クリームチーズ　　 50円

〈その他〉
- ▶小麦粉　　　　　　 50円
- ▶バジリコ　　　　　 20円
- ▶ホールトマト　　　 30円
- ▶ハチミツ　　　　　 30円

合計(1枚) **250円**　　合計(100枚) **25,000円**

[材料リスト(クアトロ・フォルマッジ)]

〈チーズ〉
- ▶モッツァレラ　　　150円
- ▶ゴルゴンゾーラ　　150円
- ▶リコッタ　　　　　150円
- ▶パルミジャーノ　　150円
- ▶ゴーダ　　　　　　100円
- ▶クリームチーズ　　 50円

〈その他〉
- ▶小麦粉　　　　　　 50円
- ▶バジリコ　　　　　 20円
- ▶ホールトマト　　　 30円
- ▶ハチミツ　　　　　 30円

合計(1枚) **650円**　　合計(100枚) **65,000円**

材料費の計算

	材料費	枚数	金額
マルゲリータ	250円	100枚	25,000円
クアトロ・フォルマッジ	650円	100枚	65,000円
合計		200枚	90,000円

算出したマルゲリータとクアトロ・フォルマッジの材料費の合計金額9万円を、PL に記載します。

PL上の材料費の正式名称は「売上原価」なので、「売上高」の下に「売上原価」9万円と書きます。

ステップ3

「売上高」から「売上原価」を引いた「売上総利益」を計算します。

売上総利益は別名「粗利益(あらりえき)」と呼ばれています。

粗利益は文字通り、**売上から商品の材料費などを引き、利益を粗く計算したもの**です。

ここでの売上総利益は16万円となります。

[ステップ2]

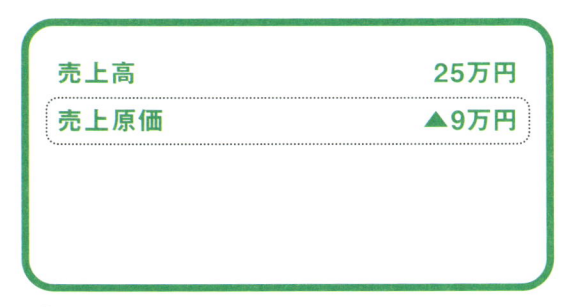

> 売上高　　　　　　　　25万円
> 売上原価　　　　　　　▲9万円

※「▲」はマイナスを表します。

[ステップ3]

> 売上高　　　　　　　　25万円
> 売上原価　　　　　　　▲9万円
> 売上総利益　　　　　　16万円
> 　　　　　　　　別名：粗利益

ステップ3までは、ピザの材料にどれだけお金が掛かるのか計算してみました。次は**ピザを作るのに掛かる経費**について考えてみます。

参考として、簡単な1日当たりの経費のリストを作成しました。

通常であれば、お店を運営するのに人件費、家賃、水道代、電気代、薪代などいろいろな経費が掛かりますが、ここではまとめて**人件費と家賃の計算**をしてみます。それ以外の経費は「その他の経費」として、まとめて2万円としました。

それでは経費について考えてみたいと思います。

〈人件費〉

「超一流のイタリア人ピザ職人」を呼んで本格的なピザ屋にしてみたいところですが、金銭的な都合もあるので、腕のよい「日本人のピザ職人」を雇うことにします。

また、「アルバイト2人」と「本人の給料」を経費として計算します。

92

[経費(1日当たり)]

〈人件費〉
▶超一流のイタリア人ピザ職人　　　　　　10万円
▶日本人のピザ職人　　　　　　　　　　3万円
▶アルバイト　　　　　　　　　　1万円×2人
▶本人の給料　　　　　　　　　　　　　2万円
〈家賃〉
▶都内　　　　　　　　　　　　　　　　1万円
▶東京近郊　　　　　　　　　　　　　　　5千円
▶田舎　　　　　　　　　　　　　　　　　3千円
〈その他の経費〉　　　　　　　　　　　　2万円

経費合計　　**10万円**

〈家賃〉

店の場所ですが、閑静な都内の住宅街に店舗を借りることにしてみます。イメージとしては、日当たりのよい緑が溢れる店です。

経費について計算してみると、合計10万円になりました。

ステップ4

ピザを作るのに掛かる経費（人件費、家賃、その他の経費）を、まとめて**「販売費及び一般管理費」という名称**でPLに書き込みます。「売上総利益」の下に「販売費及び一般管理費」10万円と書きます。

ステップ5

「売上総利益」から「販売費及び一般管理費」を引いて、「営業利益」を計算します。営業利益は純粋に、**本業のピザ屋として獲得した利益**のことです。今回、営業利益は6万円となります。

プラスになっていた場合は**営業利益**、マイナスの場合は**営業損失**と呼びます。

ここまでの作業で、1日分のPLの営業利益まで算出することができました。

[ステップ4]

売上高　　　　　　　　　　25万円
売上原価　　　　　　　　　▲9万円
売上総利益　　　　　　　　16万円
販売費及び一般管理費　　　▲10万円

[ステップ5]

売上高　　　　　　　　　　25万円
売上原価　　　　　　　　　▲ 9万円
売上総利益　　　　　　　　16万円
販売費及び一般管理費　　　▲ 10万円
営業利益　　　　　　　　　 6万円

3 PLに含まれている5つの利益

ここまで、「売上高」から始まって、本業の利益を計算する「営業利益」まで1日分のPLを作成してみましたが、実際のPLでは本業の**ピザ屋以外での収益と費用も考慮して、1年間の最終的な損益を計算します。**

PLには「売上高」の下に、利益が5段階あり、

① 売上総利益（粗利益）
② 営業利益
③ 経常利益（けいじょうりえき）
④ 税引前当期純利益
⑤ 当期純利益

に分かれています。
利益が5段階に分けられているのには意味があります。

[PL（損益計算書）とは]

売上から費用を引いて、1年間の最終的な損益を計算するもの

(単位：百万円)

損益計算書	平成×年×月×日から 平成×年×月×日まで	
売上高	100,000	
売上原価	60,000	
売上総利益（粗利益）	40,000	①
販売費及び一般管理費	10,000	
営業利益	30,000	②
営業外収益	5,000	
営業外費用	3,000	
経常利益	32,000	③
特別利益	4,000	
特別損失	1,000	
税引前当期純利益	35,000	④
法人税、住民税及び事業税	14,000	
当期純利益	21,000	⑤

① 売上総利益（粗利益）

売上総利益はすでに学んだように、**売上高から売上原価（材料費など）を引いたもの**です。

売上高に占める売上総利益（粗利益）の割合は、業種やビジネスモデルによって大きく変わります。左ページ下の表で、第1章のクイズに登場したプロ野球の親会社のうち、3つの会社の売上総利益を比較しています。

売上総利益を見てみると、金額ではマツダが4760億円と一番多くなっていますが、売上総利益を売上高で割った「売上総利益率」で見ると、IT企業の楽天やDeNAは70％を超えているのに対し、マツダは21・6％と、売上高に占める売上総利益の割合が低い状態になっています。

これは、IT企業は売上にかかわる原価があまり掛からないのに対し、**製造業は原材料などコストが掛かる**ためです。

BSの時と同様に、PLも比較する時には、同じ業種や同じビジネスモデルと比較することが重要です。

PL

売上高

① ← ① 売上総利益（粗利益）

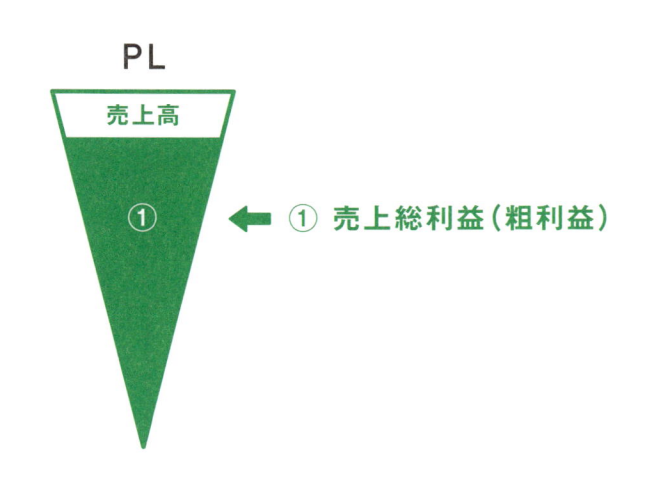

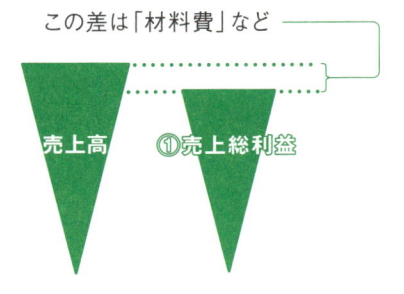

この差は「材料費」など

売上高　①売上総利益

[売上総利益率]

	楽天	DeNA	マツダ
売上高（1）	4,434億円	2,025億円	22,053億円
売上総利益（2）	3,430億円	1,459億円	4,760億円
売上総利益率（2）÷（1）	77.4%	72.0%	21.6%

（2012年度 有価証券報告書より）

② 営業利益

営業利益は、①の売上総利益から「販売費及び一般管理費」を引いたものです。本業で稼いだ利益を表していて、PLを見る際にとても重要な項目です。

販売費及び一般管理費は名前の通り、販売するのに掛かった費用や、会社を管理するのに掛かった費用のことを指します。

明確に分けられない費用もありますが、「販売費」は会社の外部と接する時に発生する費用、「一般管理費」は会社内部で発生する費用と覚えると、わかりやすいかもしれません。

ピザ屋の例では「販売費及び一般管理費」は人件費や家賃などのことで、通常の会社では他にも広告宣伝費、旅費交通費、通信費などが含まれます。

たとえ売上高が多くあっても、売上原価や「販売費及び一般管理費」が多くなって、営業利益の出ていない「営業損失」が何年も続いている状況では、会社として存続していくことが難しいので注意が必要です。

決算書を見る時は、**営業利益がきちんと生まれているか**を確認してみて下さい。

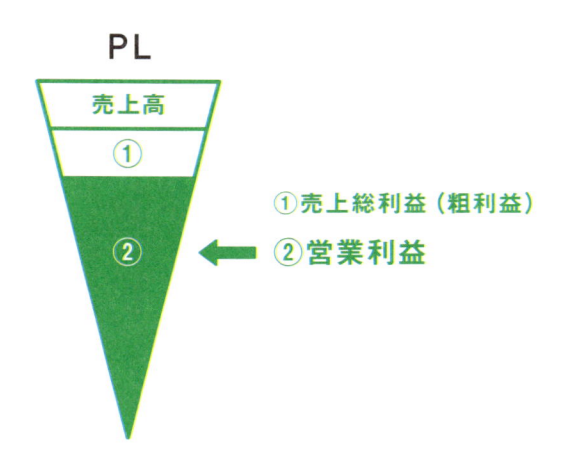

PL

売上高

① 売上総利益（粗利益）

② 営業利益

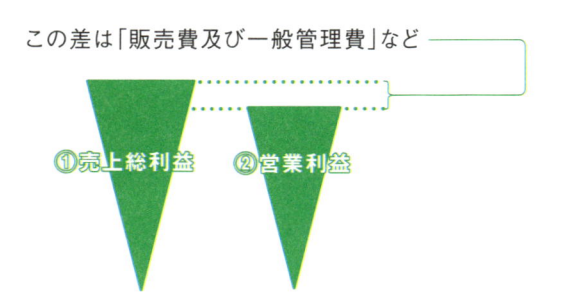

この差は「販売費及び一般管理費」など

① 売上総利益　　② 営業利益

③ 経常利益

経常利益は、**本業以外で得た収益と費用を考慮した後の利益**のことです。

日本語だとわかりにくいですが、英語では「Ordinary Profit (普通の、通常の、平凡な利益)」と呼ばれるもので、本業以外の収益や費用のうち、通常発生するものがここで考慮されます。

もし会社が株などの有価証券で資産運用をしていれば、その配当金は本業以外で発生する収益なので、ここで計上されます。

また、会社に借入金があれば利息を払う必要があるので、本業以外で発生する費用として、ここで計上されます。

株などで受け取れる有価証券の配当金が、借入金の利息の支払いよりも多いとき、「経常利益」は「営業利益」よりも多くなり、配当金が借入金の利息の支払いよりも少ないとき、「経常利益」は「営業利益」よりも少なくなります。

PLの三角形は通常は順に小さくなりますが、**③経常利益の方が②営業利益よりも増えることもある**ので、ビックリしないで下さい。

PL

| 売上高 |
| ① |
| ② |
| ③ |

① 売上総利益（粗利益）

② 営業利益

← ③ 経常利益

[本業以外の収益が多い場合]

配当金の受取額 ＞ 利息の支払額

②営業利益　③経常利益

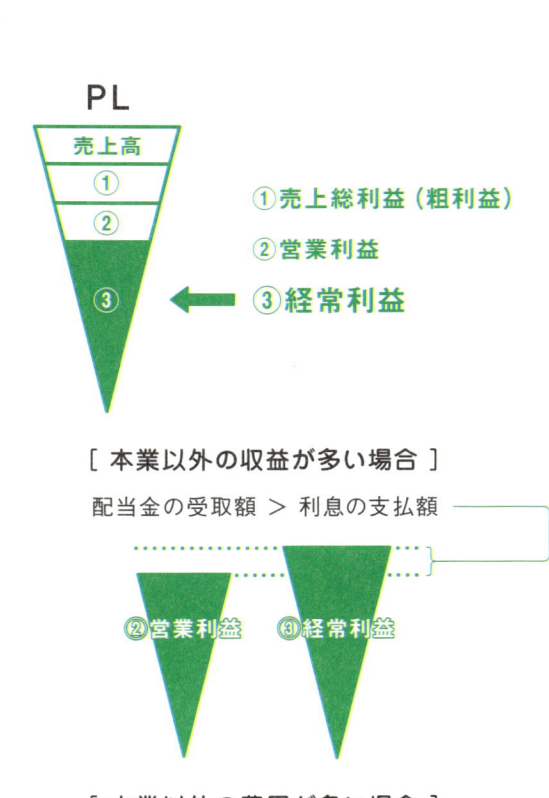

[本業以外の費用が多い場合]

配当金の受取額 ＜ 利息の支払額

②営業利益　③経常利益

④ 税引前当期純利益

税引前当期純利益は文字通り、**会社の利益に掛かる税金を引く前の利益**のことです。

経常利益との違いは、ここでは通常あまり発生しない利益や損失を考える必要がある、ということです。

具体的な例では、利益としては「土地や建物などを売って得た利益」、損失としては「土地や建物などを売った時の損失」「災害損失」などがここで計上されます。

せっかく高額な最新の設備を導入して新製品を売り出したのに、新製品が全く売れなくて設備を売却する、というような場合は、「特別損失」として計上します。

このような損失は毎年発生するわけではなく、**たまに発生する費用**なので、「特別損失」なのです。

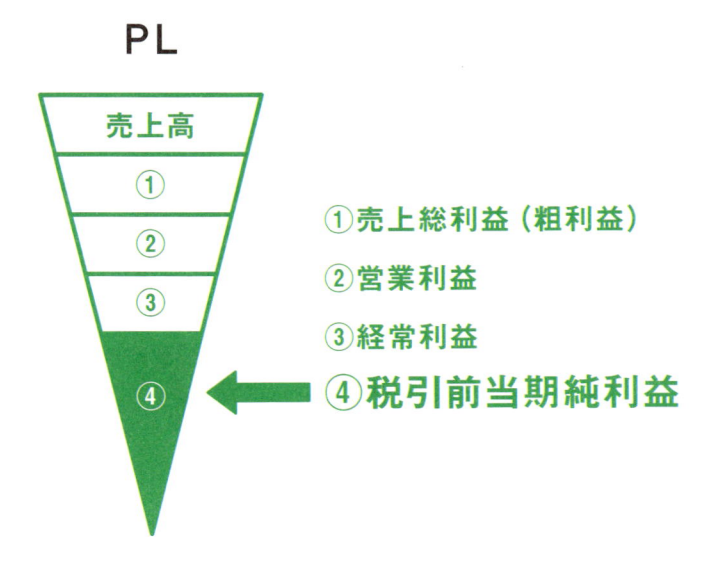

PL

- ① 売上総利益（粗利益）
- ② 営業利益
- ③ 経常利益
- ④ **税引前当期純利益**

左の図に示したように、「特別利益」が発生すると④税引前当期純利益は③経常利益よりも増え、「特別損失」が発生すると④税引前当期純利益は③経常利益よりも少なくなります。

ここでも**逆三角形の大きさの順序は崩れることがある**のです。

余談になりますが、特別損益の考え方は国ごとの会計基準によって異なり、アメリカでは特別損益を計上することは、日本ほど頻繁にできません。

アメリカでは同時多発テロが起こった時でさえ、「テロが発生するのは珍しくない」という理由で特別損失を計上することができませんでした。

経常利益よりも税引前当期純利益が大きく増えたり、減ったりしている場合は、たまにしか発生しない特別利益や特別損失が原因です。

税引前当期純利益の増減だけでは、本業で実際に儲かっているのかどうかはわかりません。

「本業は儲かっていて営業利益はプラスになっていたけれど、たまたま災害が起こったせいで、税引前当期純利益が減ってしまったんだな」などと、営業利益とあわせて理解することが重要です。

[特別利益がある場合]

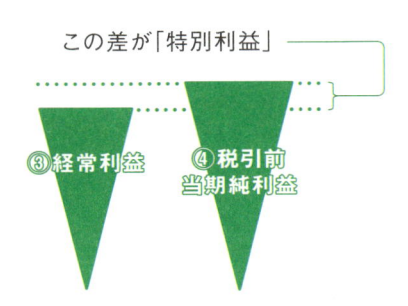

この差が「特別利益」

③経常利益　④税引前当期純利益

[特別損失がある場合]

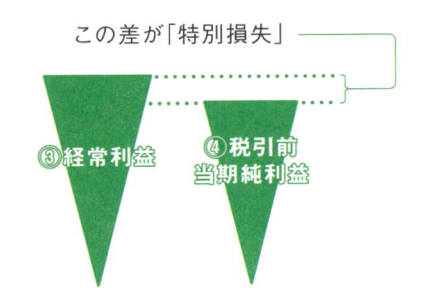

この差が「特別損失」

③経常利益　④税引前当期純利益

⑤ 当期純利益

当期純利益は、**1年間を通じて最終的に会社に残った利益**のことです。

当期純利益はBSの **C（純資産）** に入ります。**利益剰余金**として59ページに出てきた「利益の地層」に格納されます。

利益が続いていれば「利益剰余金」が増加し、赤字が出ている状態では「利益剰余金」が減少していきます。

利益剰余金に関してですが、商売をすることで**稼いだ現金はC（純資産）に貯まるのではなく、A（資産）の中に貯まる**のです。

資本金や借入金のところで説明したように、利益剰余金もあくまでも売上から得られた利益の記録です。**C（純資産）** の中に実際の現金はありませんので、注意して下さい。

PLに含まれている5段階の利益の意味が、おおまかにつかめたでしょうか。

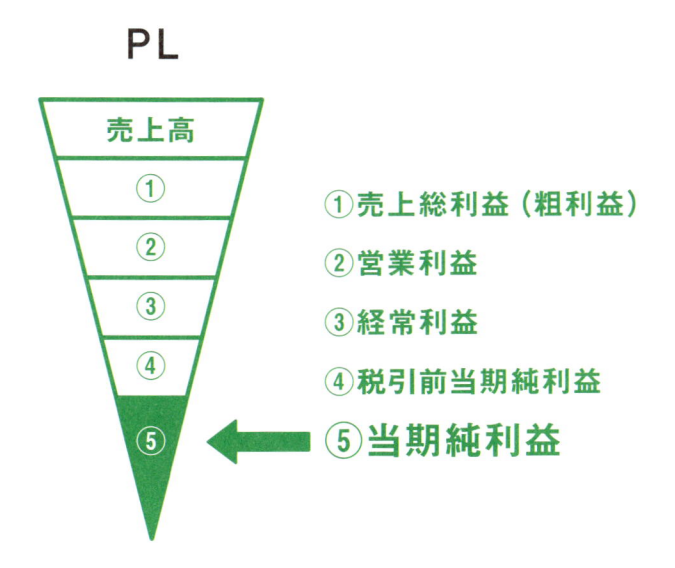

PL

売上高
① 売上総利益（粗利益）
② 営業利益
③ 経常利益
④ 税引前当期純利益
⑤ 当期純利益

4 自分でPLを作ってみよう〈後編〉

さて、先ほどの前編ではPLの「営業利益」まで算出してみました。ここからは、BSとPLで学んだ知識を融合させて、**BSとPLがどうつながっているのか**考えてみます。

BSとPLのつながりがわかることで、決算書の理解が一気に深まりますので、丁寧に見ていきましょう。

まずは、第1章で作ったBSを思い出してみます。

ここではつながりがわかりやすいように、普段は **C（純資産）** の中に隠れている **PLを拡大して、BSの右側に緑枠で表示**しました。

先ほどの前編では、1日分だけのPLを計算しましたが、ここでは1年間ピザ屋を営業した後に、**PLとBSがどのように変化するのか**を見ることにします。計算をシンプルにするために、1年間の営業日数を300日として計算します。

まずはPLの1日分×300日で、1年間分の「売上高」から「営業利益」まで計算します。計算結果は左ページ下の通りです。

[第1章で作ったBSと、PL]

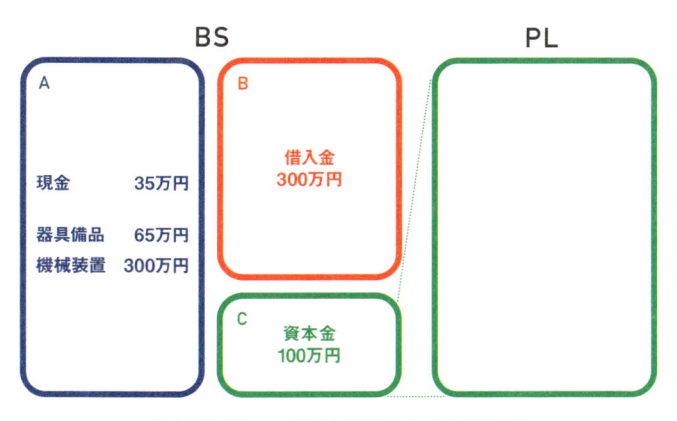

BS

- A
  - 現金　　　35万円
  - 器具備品　65万円
  - 機械装置　300万円
- B
  - 借入金　300万円
- C
  - 資本金　100万円

PL

A 400万円 ＝ B 300万円 ＋ C 100万円

[ピザ屋の1年間の売上と利益（300日分で計算）]

	1日分	300日分
売上高	25万円	7,500万円
売上原価	▲9万円	▲2,700万円
①売上総利益	16万円	4,800万円
販売費及び一般管理費	▲10万円	▲3,000万円
②営業利益	6万円	1,800万円

販売費及び一般管理費の内訳

	1日分	300日分
人件費	▲7万円	▲2,100万円
家賃	▲1万円	▲300万円
その他の経費	▲2万円	▲600万円
合計	▲10万円	▲3,000万円

ステップ1

PLの枠内にピザの売上を書き込みます。1年間ピザを販売したことにより、売上が7500万円となりましたので、**PLに「売上高」7500万円と記載**します。

ステップ2

「売上高」が増えることによるBSのバランスを考えてみます。売上は現金で入手したので、「現金」7500万円が**A（資産）**に計上され、ここで**BSとPLがつながる**ことになります。

PLはBSのCの一部分なので、**A（資産）＝B（負債）＋C（純資産）＋PL**でバランスを取ります。

A（7900万円）＝B（300万円）＋C（100万円）＋PL（7500万円）

で、バランスを取ることができました。

[ステップ1]

BS

A
現金　　　35万円
器具備品　　65万円
機械装置　300万円

B
借入金
300万円

C
資本金
100万円

PL
売上高　　　7,500万円

[ステップ2]

BS

A
現金　　　　35万円
現金　　7,500万円
器具備品　　65万円
機械装置　300万円

B
借入金
300万円

C
資本金
100万円

PL
売上高　　　7,500万円

A 7,900万円 ＝ B 300万円 ＋ C 100万円 ＋ PL 7,500万円

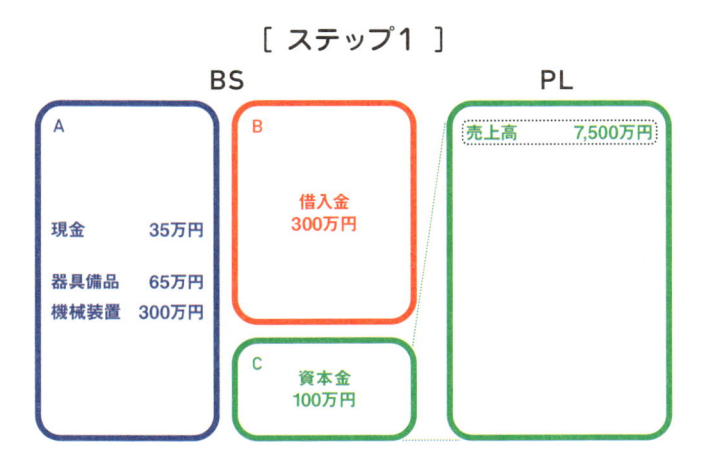

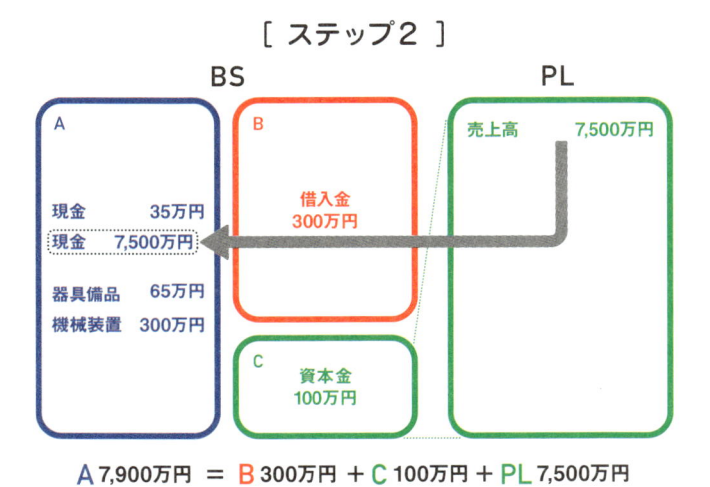

ステップ3

1年間のピザの材料費が2700万円掛かりましたので、「売上原価」として2700万円がPLに計上されます。

そして材料費は現金で払ったので、**A（資産）** の「現金」が2700万円減少します。

「現金」の残高は、

7500万円−2700万円＝4800万円

となります。

続いて、PLの**売上高から売上原価を引いて、①売上総利益を算出**します。

「売上高」7500万円−「売上原価」2700万円で、「売上総利益」が4800万円となりました。

[ステップ3]

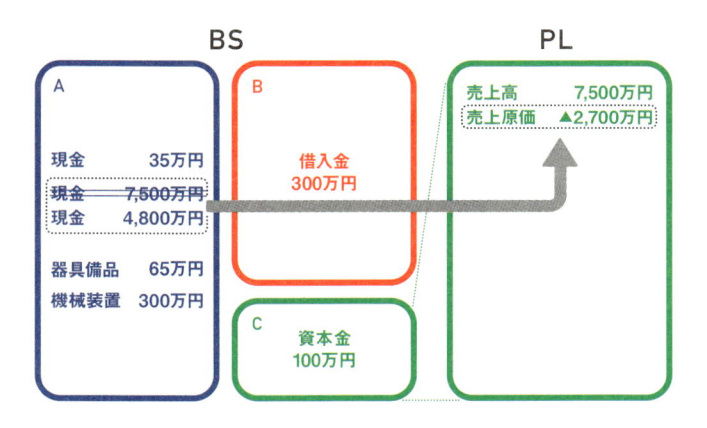

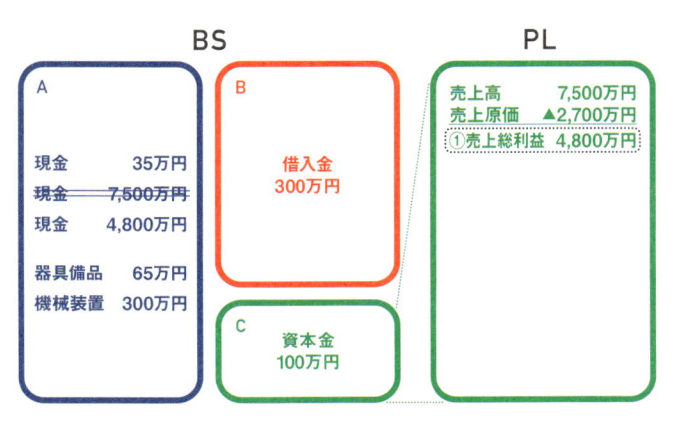

BS

A
現金　　　　35万円
~~現金　　　7,500万円~~
現金　　　4,800万円

器具備品　　65万円
機械装置　　300万円

B
借入金
300万円

C
資本金
100万円

PL

売上高　　　　7,500万円
売上原価　　▲2,700万円

BS

A
現金　　　　35万円
~~現金　　　7,500万円~~
現金　　　4,800万円

器具備品　　65万円
機械装置　　300万円

B
借入金
300万円

C
資本金
100万円

PL

売上高　　　　7,500万円
売上原価　　▲2,700万円
①売上総利益　4,800万円

A 5,200万円 ＝ B 300万円 ＋ C 100万円 ＋ PL 4,800万円

ステップ4

1年間のピザを作るための人件費、家賃、その他の経費を「販売費及び一般管理費」3000万円としてPLに書き込みます。

このお金も現金で支払ったので、**A（資産）**から「現金」3000万円が引かれます。

「現金」の残高は、
4800万円－3000万円＝1800万円
となります。

続いて、**売上総利益から販売費及び一般管理費を引いて、②営業利益を計算します。**

「売上総利益」4800万円－「販売費及び一般管理費」3000万円で、「営業利益」は1800万円となりました。

116

[ステップ4]

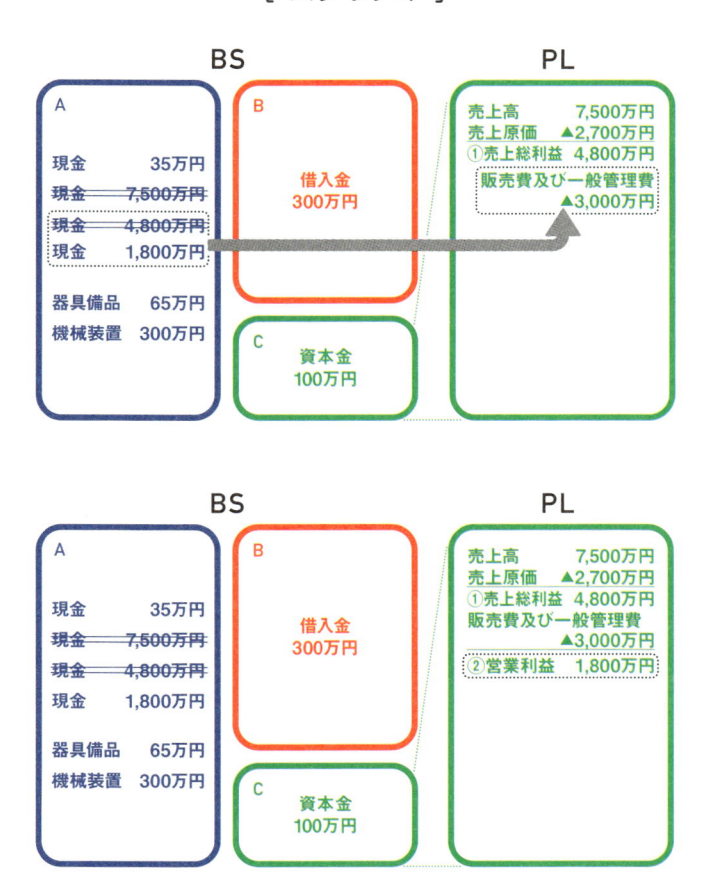

BS

A
現金　　　　35万円
~~現金　　　7,500万円~~
~~現金　　　4,800万円~~
現金　　　1,800万円

器具備品　　65万円
機械装置　　300万円

B
借入金
300万円

C
資本金
100万円

PL

売上高　　　　7,500万円
売上原価　　▲2,700万円
①売上総利益　4,800万円
販売費及び一般管理費
　　　　　　▲3,000万円

BS

A
現金　　　　35万円
~~現金　　　7,500万円~~
~~現金　　　4,800万円~~
現金　　　1,800万円

器具備品　　65万円
機械装置　　300万円

B
借入金
300万円

C
資本金
100万円

PL

売上高　　　　7,500万円
売上原価　　▲2,700万円
①売上総利益　4,800万円
販売費及び一般管理費
　　　　　　▲3,000万円
②営業利益　　1,800万円

A 2,200万円 ＝ **B** 300万円 ＋ **C** 100万円 ＋ **PL** 1,800万円

表記がだいぶごちゃごちゃしてきましたので、ここで一旦、「現金」の残高を整理してみましょう。すると左ページの図のようになります。

ここまででPLの利益の5段階のうち、②営業利益まで計算してみました。前編の復習ができたでしょうか。

次は、**本業以外で発生する収益や費用を考慮しながら、利益の5段階③〜⑤までを計算していきます。**

ステップ5

銀行などから借りた**「借入金」の利息をPL上に計上**します。

1年間の金利が5％と仮定して計算すると、

「借入金」300万円 ×「金利」5％ =「利息」15万円

となります。

[**現金の残高を整理した図**]

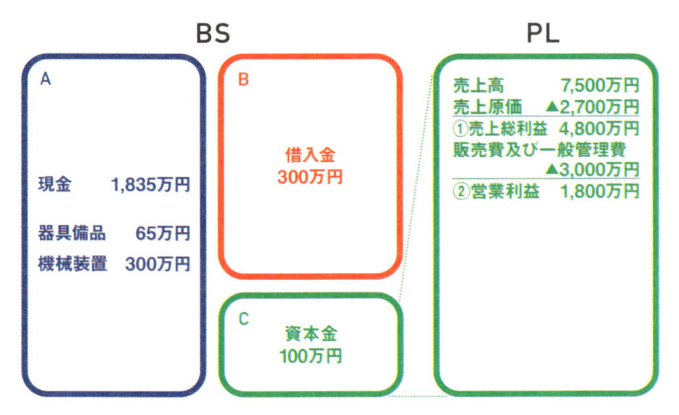

BS / PL

A
現金　　1,835万円
器具備品　65万円
機械装置　300万円

B
借入金
300万円

C
資本金
100万円

PL
売上高　　　　7,500万円
売上原価　　▲2,700万円
①売上総利益　4,800万円
販売費及び一般管理費
　　　　　　▲3,000万円
②営業利益　　1,800万円

A 2,200万円 ＝ B 300万円 ＋ C 100万円 ＋ PL 1,800万円

PLで**利息の正式名称は「支払利息」**ですので、PLに「支払利息」15万円を書き入れます。

利息は現金で払ったので、**A（資産）**から現金15万円を引きます。

「現金」の残高は、

1835万円−15万円＝1820万円

です。

続いて、**営業利益から支払利息を引いて、③経常利益を計算します。**

「営業利益」1800万円−「支払利息」15万円で、「経常利益」は1785万円となりました。

ステップ 6

税金が引かれる前の④「税引前当期純利益」を計算します。

今回のピザ屋の例では、特別利益や特別損失は発生しなかったので、税引前当期純

[ステップ5]

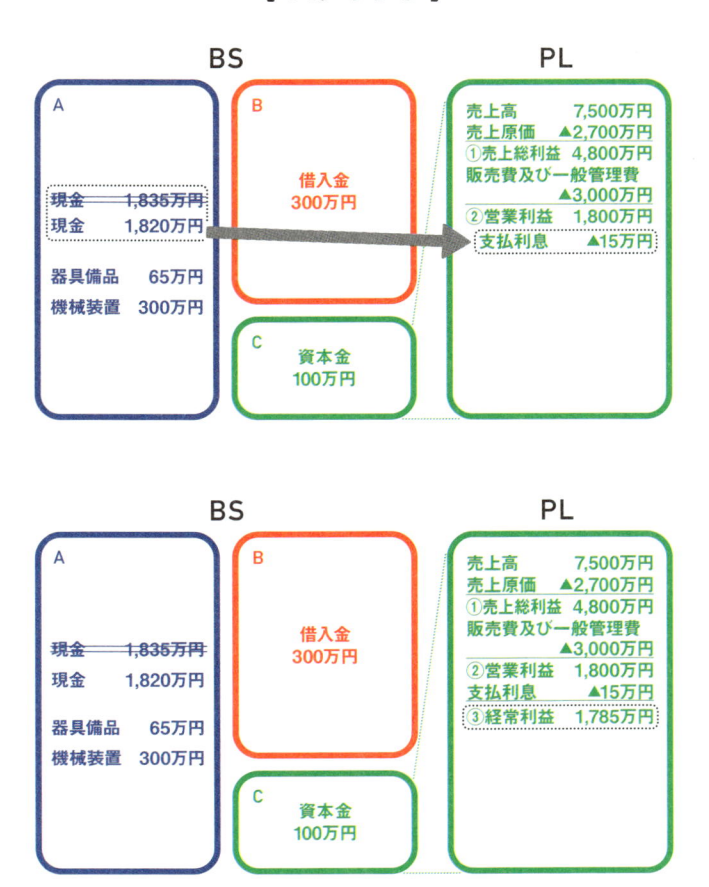

BS

A
~~現金　　　1,835万円~~
現金　　　1,820万円

器具備品　　65万円
機械装置　　300万円

B
借入金
300万円

C
資本金
100万円

PL

売上高　　　　　7,500万円
売上原価　　　▲2,700万円
①売上総利益　　4,800万円
販売費及び一般管理費
　　　　　　　▲3,000万円
②営業利益　　　1,800万円
支払利息　　　　▲15万円

BS

A
~~現金　　　1,835万円~~
現金　　　1,820万円

器具備品　　65万円
機械装置　　300万円

B
借入金
300万円

C
資本金
100万円

PL

売上高　　　　　7,500万円
売上原価　　　▲2,700万円
①売上総利益　　4,800万円
販売費及び一般管理費
　　　　　　　▲3,000万円
②営業利益　　　1,800万円
支払利息　　　　▲15万円
③経常利益　　　1,785万円

A 2,185万円 ＝ **B** 300万円 ＋ **C** 100万円 ＋ **PL** 1,785万円

利益は経常利益と同じ1785万円のままです。

ステップ7

「法人税等」を計算します。個人に税金が掛かるように、会社にも法人税と呼ばれる税金が掛かります。

法人税等の税率を40%と仮定して計算すると、

「税引前当期純利益」1785万円×「税率」40％＝「法人税等」714万円

となります。

この「法人税等」は「税引前当期純利益」の下に記載されます。

法人税等を「現金」714万円で払ったので、**A（資産）** の「現金」の残額は、

1820万円－714万円＝1106万円

です。

122

[ステップ6]

BS

A
現金　　1,835万円
現金　　1,820万円

器具備品　65万円
機械装置　300万円

B
借入金
300万円

C
資本金
100万円

PL

売上高　　　　7,500万円
売上原価　　▲2,700万円
①売上総利益　4,800万円
販売費及び一般管理費
　　　　　　▲3,000万円
②営業利益　　1,800万円
支払利息　　　▲15万円
③経常利益　　1,785万円
特別利益　　　　　0円
特別損失　　　　　0円
④税引前当期純利益
　　　　　　　1,785万円

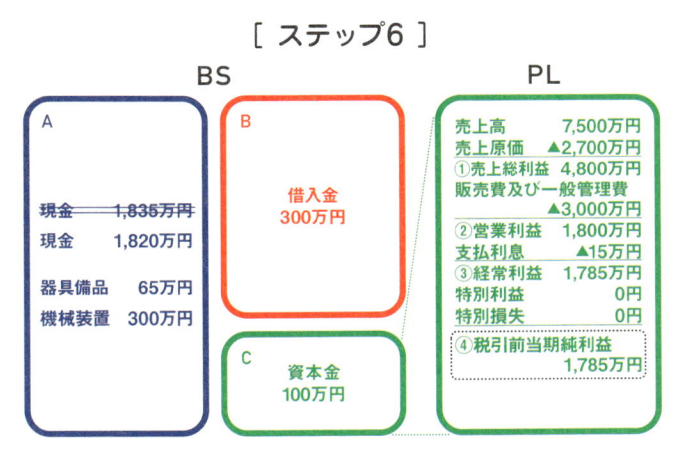

A 2,185万円 ＝ B 300万円 ＋ C 100万円 ＋ PL 1,785万円

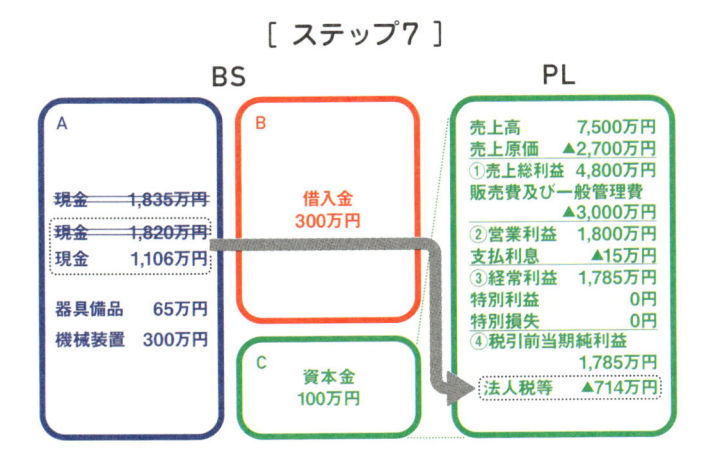

[ステップ7]

BS

A
現金　　1,835万円
現金　　1,820万円
現金　　1,106万円

器具備品　65万円
機械装置　300万円

B
借入金
300万円

C
資本金
100万円

PL

売上高　　　　7,500万円
売上原価　　▲2,700万円
①売上総利益　4,800万円
販売費及び一般管理費
　　　　　　▲3,000万円
②営業利益　　1,800万円
支払利息　　　▲15万円
③経常利益　　1,785万円
特別利益　　　　　0円
特別損失　　　　　0円
④税引前当期純利益
　　　　　　　1,785万円
法人税等　　▲714万円

ステップ8

税引前当期純利益から法人税等を引いて、⑤当期純利益を計算します。

「税引前当期純利益」1785万円 −「法人税等」714万円 =「当期純利益」1071万円

となりました。

これで、1年間の最終的な利益として当期純利益が計算されました。

この当期純利益はBSのC（純資産）の中に入り、「利益剰余金」として表示されます。

この**利益剰余金が、BSで学んだ「利益の地層」**となります。

Cに利益剰余金1071万円が入ったので、**Cの緑枠**を大きくして、**Bの赤枠**を小さく表示しています。

[ステップ8]

BS

A
現金　~~1,835万円~~
現金　~~1,820万円~~
現金　　1,106万円

器具備品　　65万円
機械装置　 300万円

B
借入金
300万円

C
資本金
100万円

PL

売上高　　　7,500万円
売上原価　▲2,700万円
①売上総利益 4,800万円
販売費及び一般管理費
　　　　　▲3,000万円
②営業利益　1,800万円
支払利息　　▲15万円
③経常利益　1,785万円
特別利益　　　　0円
特別損失　　　　0円
④税引前当期純利益
　　　　　　1,785万円
法人税等　 ▲714万円
⑤当期純利益 1,071万円

A 1,471万円　=　**B** 300万円　+　**C** 100万円　+　**PL** 1,071万円

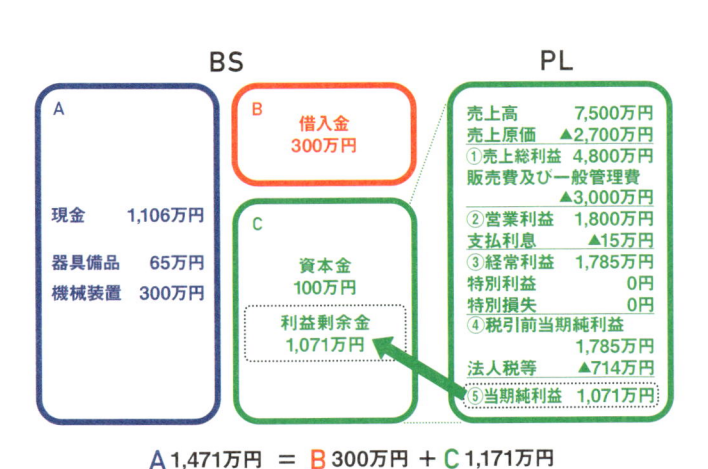

BS

A
現金　　1,106万円

器具備品　　65万円
機械装置　 300万円

B
借入金
300万円

C
資本金
100万円

利益剰余金
1,071万円

PL

売上高　　　7,500万円
売上原価　▲2,700万円
①売上総利益 4,800万円
販売費及び一般管理費
　　　　　▲3,000万円
②営業利益　1,800万円
支払利息　　▲15万円
③経常利益　1,785万円
特別利益　　　　0円
特別損失　　　　0円
④税引前当期純利益
　　　　　　1,785万円
法人税等　 ▲714万円
⑤当期純利益 1,071万円

A 1,471万円　=　**B** 300万円　+　**C** 1,171万円

5 決算書を難しくしている減価償却の正体

● 費用を一度に計上しなくて済む

さて、普通であればPLの説明はここで終わりなのですが、最後に決算書を難しくしている原因、「減価償却」について話をしておきます。

減価償却という言葉は、日本語だとわかりにくいのですが、英語では「depreciation」と言って、**「価格の低下」や「価値の下落」**という意味になります。

会計の言葉がわかりにくい時は、語源を当たるとイメージがつかめることがあります。減価償却も、なんとなく**資産の価値が下がる**のだろうとイメージできると思います。

減価償却の考え方が始まったのは、18世紀後半以降のイギリスの産業革命の頃だと言われています。当時、イギリスでは工場や鉄道などが建設され、多くの固定資産が誕生しました。

しかし、固定資産の購入や建設には多額のお金が掛かるので、費用を一度に計上してしまうと、その年の利益が大きく減ってしまいます。

そこで、使用できる期間にわたって固定資産の費用を配分して、**人工的に資産の価**

値を下げていく「減価償却」という考え方が生まれました。

ピザ屋で言えば、ピザ窯は1年以上にわたって使われる固定資産ですが、実際に何年使えるかは使ってみないとわかりません。

そのため、実務上は税法の規則で決められた年数で割って、「減価償却費」という名称で**毎年費用として計上する**という方法が取られています。

減価償却のイメージが湧きにくい方は、26ページで紹介した、競馬のサラブレッドを思い出して下さい。

1億円でサラブレッドを買ったとしたら、その年に1億円を費用計上するのではなく、サラブレッドが走れそうな期間、例えば4年間で割って、毎年2500万円を費用として計上するのです。

初年度が終わった段階で、サラブレッドの価値は7500万円、2年目が終わった段階で5000万円とサラブレッドの価値を人工的に下げ、その差額が費用として計上されます(資産の価値を人工的に下げているので、市場価格とは一致しません)。

● 減価償却をしないと利益のぶれが大きくなる

実際の決算書の上では、減価償却を行うとどういうメリットがあるのでしょうか。

100万円の建物で考えてみましょう。

この建物の価値**100万円を4年で割って、毎年25万円の減価償却費を計上**してみます。

ただし、この建物は建築してから4年しかもたないので、4年後に売ることはできないものとします。また、売上高は毎年100万円ずつです。

まず、減価償却を毎年行う場合は、毎年25万円が「減価償却費」として計上されて、売上高から減価償却費を引いた**利益は4年目まで、毎年75万円**となります。

では、減価償却を行わない場合はどうなるでしょうか。

1年目から3年目は減価償却費を計上していないので、利益は100万円ずつとなっています。

しかし、4年目に建物を解体して処分しようとすると、BSの**A（資産）** に記載されている建物を一度に消去しなければなりません。

BSの**右と左は絶対にバランスを保たなければならない**ので、建物が減った分は**A**、

[毎年減価償却を行う場合]

売上高 − 減価償却費 = 利益

		1年目	2年目	3年目	4年目
	売上高	100	100	100	100

建物の価値
| 25 |
| 25 |
| 25 |
| 25 |

1年目	2年目	3年目	4年目
25			
25	25		
25	25	25	
25	25	25	25

	利益	75	75	75	75

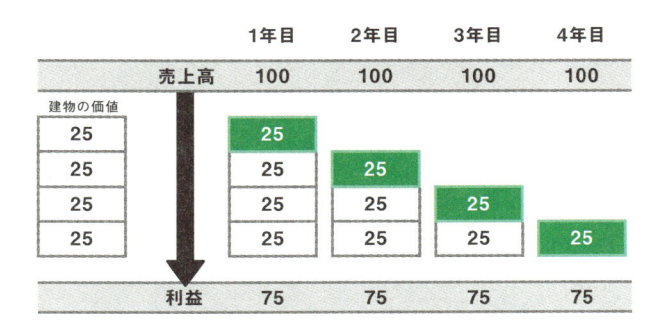

[毎年減価償却を行わない場合]

売上高 − 減価償却費 = 利益

		1年目	2年目	3年目	4年目
	売上高	100	100	100	100

建物の価値
| 25 |
| 25 |
| 25 |
| 25 |

1年目	2年目	3年目	4年目
			25
			25
			25
			25

	利益	100	100	100	0

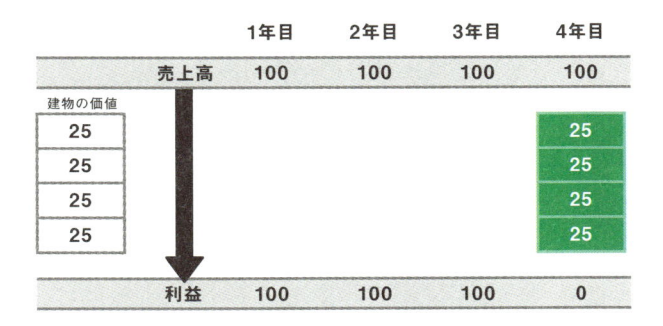

B、C、PLのどこかでバランスを取らなければなりません。

この建物は売ることができないので、**Aの現金**は増えません。**Bの借入金**でも**Cの資本金**でもないので、PLで100万円の損失が生じることになります。

この結果、**4年目の利益が0円**となって、1年目から3年目の利益と比較すると、利益に偏りが生じてしまいます。

このように減価償却をせずに費用を一度に計上すると、**利益が大きく変動してしまい、投資家などが混乱する**原因になります。

利益が大きくぶれないように、毎年決められた額を減価償却するのです。

● 3色で見る減価償却

先ほどのピザ屋のケースでは、減価償却を考慮しないでBSとPLを計算していました。

もし、ピザ屋のケースに減価償却の概念を当てはめて、3色決算書法で見るとどうなるでしょうか。

[減価償却費の計算]

固定資産	A（資産）①	耐用年数 ②	1年あたりの減価償却費 ③=①÷②	減価償却後のA（資産）④=①-③
器具備品	65万円	5年	13万円	52万円
機械装置	300万円	5年	60万円	240万円
合計	365万円		73万円	292万円

　減価償却をする年数は税法上の規則で決まっているのですが、計算式が複雑なので、ここでは全ての固定資産を5年間で平均して償却すると仮定します。

　ピザ屋の固定資産を5年間で割ると、上の表のようになります。

　13万円＋60万円＝73万円が、人工的に計算された1年あたりの減価償却費の額です。

　また、減価償却を行った後の固定資産は合計で292万円となっています。

　減価償却を考慮した後の、BSとPLは133ページのようになっています。

　減価償却が行われたことによって、**様々な箇所に影響がある**ことがわかります。

まず、PLでの主な変化は、

① **「販売費及び一般管理費」の中に減価償却費が追加**され、もともとの販売費及び一般管理費3000万円＋減価償却費73万円＝3073万円と、費用が多くなりました。

② 営業利益、経常利益、税引前当期純利益、法人税等、当期純利益は「販売費及び一般管理費」が増えたことにより、それぞれ金額が変わっています。

続いて、BSでの主な変化を見てみると、

① 納める**法人税等が少なくなった**分、払わなくて済んだ差額の現金29万円が **A（資産）** の中に残ります。現金1106万円から1135万円と増加しました。器具備品と機械装置は人工的に価値が下げられて、13万円と60万円が「減価償却費」となり、**A（資産）** での残高がそれぞれ、52万円と240万円になりました。

② **A（資産）** での残高がそれぞれ、52万円と240万円になりました。

③ BSの **Cに入る利益剰余金** は、**当期純利益が減った**ことにより、1071万円から1027万円になりました。

[減価償却費を考慮したBSとPL]

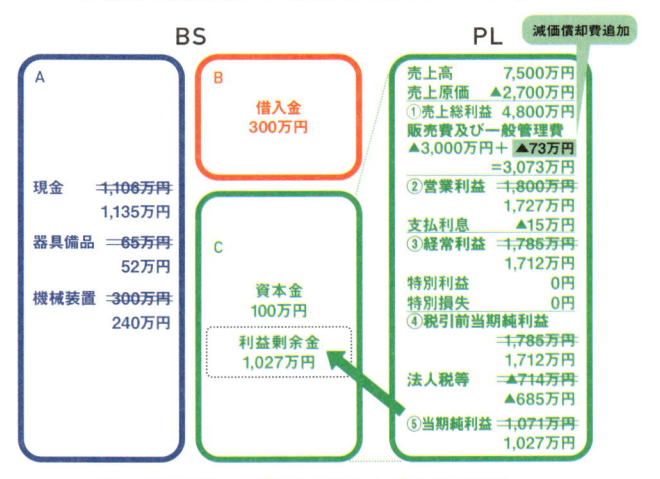

BS

A
現金　　　~~1,106万円~~
　　　　　1,135万円
器具備品　~~65万円~~
　　　　　52万円
機械装置　~~300万円~~
　　　　　240万円

B
借入金
300万円

C
資本金
100万円

利益剰余金
1,027万円

PL（減価償却費追加）

売上高　　　　　7,500万円
売上原価　　　▲2,700万円
① 売上総利益　4,800万円
販売費及び一般管理費
▲3,000万円＋▲73万円
　　　　　　＝3,073万円
② 営業利益　~~1,800万円~~
　　　　　　1,727万円
支払利息　　　▲15万円
③ 経常利益　~~1,785万円~~
　　　　　　1,712万円
特別利益　　　　　0円
特別損失　　　　　0円
④ 税引前当期純利益
　　　　　　~~1,785万円~~
　　　　　　1,712万円
法人税等　　　~~▲714万円~~
　　　　　　▲685万円
⑤ 当期純利益　~~1,071万円~~
　　　　　　1,027万円

A 1,427万円 ＝ **B** 300万円 ＋ **C** 1,127万円

[上の図を整理したもの]

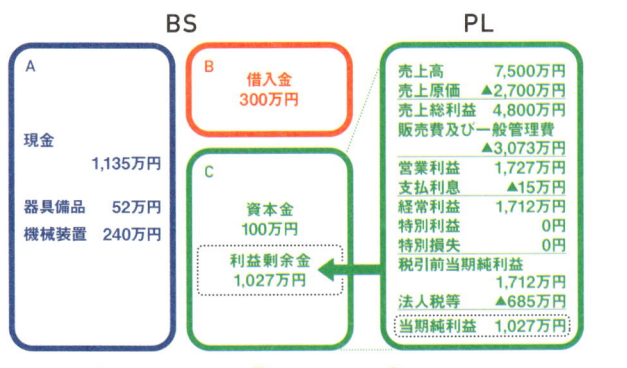

BS

A
現金　　　　　1,135万円
器具備品　52万円
機械装置　240万円

B
借入金
300万円

C
資本金
100万円

利益剰余金
1,027万円

PL

売上高　　　　　7,500万円
売上原価　　　▲2,700万円
売上総利益　　4,800万円
販売費及び一般管理費
　　　　　　▲3,073万円
営業利益　　　1,727万円
支払利息　　　　▲15万円
経常利益　　　1,712万円
特別利益　　　　　0円
特別損失　　　　　0円
税引前当期純利益
　　　　　　1,712万円
法人税等　　　▲685万円
当期純利益　　1,027万円

A 1,427万円 ＝ **B** 300万円 ＋ **C** 1,127万円

また、ワンポイントアドバイスですが、減価償却は資産を購入した後に、人工的に資産の価値を減少させているので、現金の支出は伴いません。減価償却費は「現金」の支出を伴わない費用ということも覚えておいて下さい。

減価償却という考え方は日常生活で使わないので、少し大変だったでしょうか。

ここまで学んでみて、だんだんとBSとPLのつながりが見えてきましたか？ 今まで行ってきたBSとPLの流れを振り返ると左ページの図のようになっています。

BSの **A（資産）** には、どんな設備をいくらで整えたのかが書いてあります。

その設備を使って、いくら利益をあげたのかについてはPLに書いてあります。

その利益から会社が運転資金をいくら得たのか、投資してくれた人たちに利益をいくら還元したのかは、BSの **C（純資産）** に書いてあります。

また、利益の中から借金をいくら返したのか、新たに借金をいくらしたのかということはBSの **B（負債）** に書いてあるのです。

このように **資金を循環させる** ことによって、事業は拡大していきます。

[BSとPLのつながり]

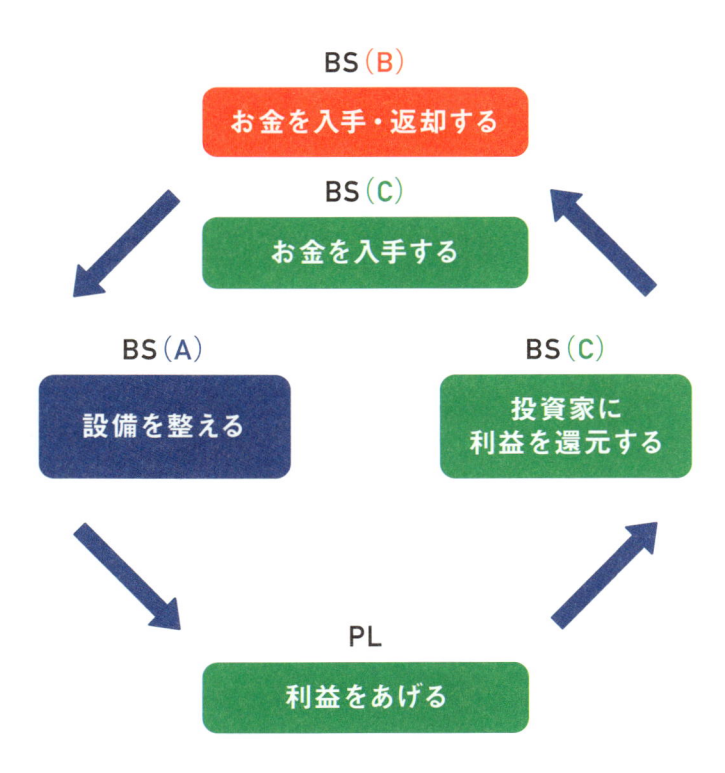

BS（B）
お金を入手・返却する

BS（C）
お金を入手する

BS（A）
設備を整える

BS（C）
投資家に利益を還元する

PL
利益をあげる

クイズ 日経新聞で遊んでみよう

ここまででPLの基本的な構造がつかめたかと思います。そこで次は、日経新聞の中から、今まで学んだことを使ってPLの記事を読み解いてみましょう。

通勤時間に、多くのビジネスパーソンに読まれている日経新聞ですが、読み方を変えるだけで通勤時間が楽しいゲームの時間になります。

やり方は簡単で、見出しを読んですぐに記事を読むのではなく、見出しを読んだ後に、**「なぜだろう?」と想像して自分なりの考えを持ってみる**だけです。

仮説を立てて、実際の記事と比較することで、ビジネスに必要な考える力が身に付きます。

クイズ1 時計メーカーの利益が5割増加した理由とは?

2014年2月7日の日経新聞に「セイコーHD　5割増益（2013年4月〜12

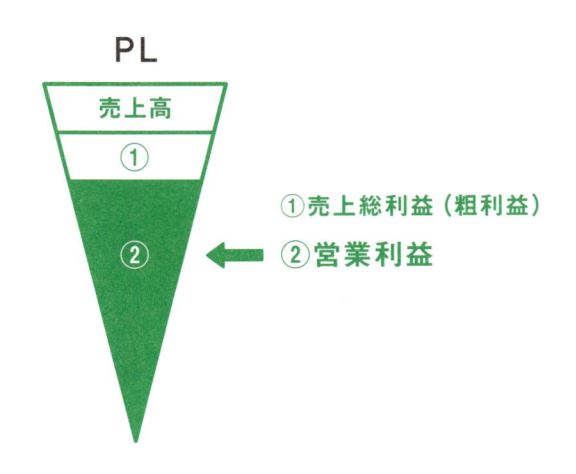

PL

- 売上高
- ① 売上総利益(粗利益)
- ② 営業利益

月)」という見出しがありました。

時計の製造を行っているセイコーHDの利益が、5割増加した理由を考えてみて下さい。

ここでの増益とは、**本業からの利益である「営業利益」**のことを指しています。

私の場合は「アベノミクスで景気が上向いたから、いい時計が売れているのかな?」という仮説を立ててみました。

A 正解は、国内で高価格の腕時計の販売が伸びたうえ、円安進行も利益を押し上げたからです。

記事によると、

「主力の腕時計事業は株高を追い風に『グランドセイコー』など高価格品が伸びた。広告宣伝の強化や売り場の拡大も奏効し、同事業の売上高は1000億円強と約2割増えたようだ。腕時計事業の売上高が全体に占める比率は前年同期の42%から5ポイント程度上昇したもよう。」

とあるので、アベノミクス効果で高価格帯の腕時計が売れたようです。

また、記事には、

[セイコーHDの地域別売上高構成比]

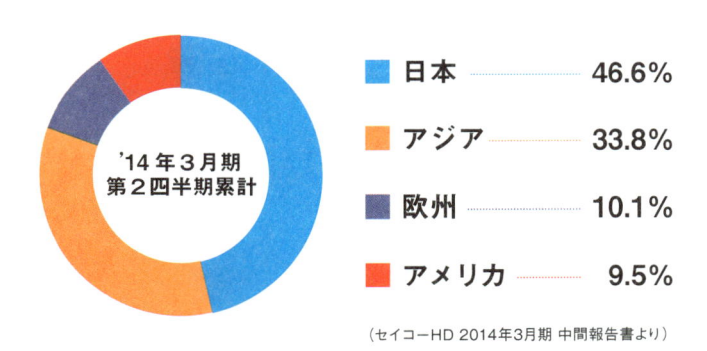

- 日本 46.6%
- アジア 33.8%
- 欧州 10.1%
- アメリカ 9.5%

'14年3月期 第2四半期累計

(セイコーHD 2014年3月期 中間報告書より)

「4〜12月の為替レートは1ドル＝99円程度と前年同期より20円程度円安に振れた。海外売上高比率は5割強で、円安が営業利益を10億円以上押し上げたとみられる」

との記載もありました。

私の仮説は半分当たっていましたが、海外売上も増益に貢献していたことは見抜けませんでした。この記事から学べることは、セイコーHDの海外売上高比率が50％以上あるということです。

139ページの図はセイコーHDの、2014年3月期の中間報告書に記載されていたものです。

日本での売上高構成比は46・6％ですが、アジア、欧州、アメリカを合わせた**海外の売上高比率は50％以上**です。

このように自分なりに考えてみれば、**仮説が外れた時でも学ぶことが多い**ので、おすすめの学習方法です。

クイズ2 旅行業者の経常利益増加の理由とは？

2014年3月8日の日経新聞に「HIS経常益最高48億円（2013年11月〜2014年1月）」との見出しがありました。

なぜ旅行業を行っているエイチ・アイ・エス（H.I.S.）の「経常利益」が増えたか、考えてみて下さい。

ヒントは「ハウステンボス」です。

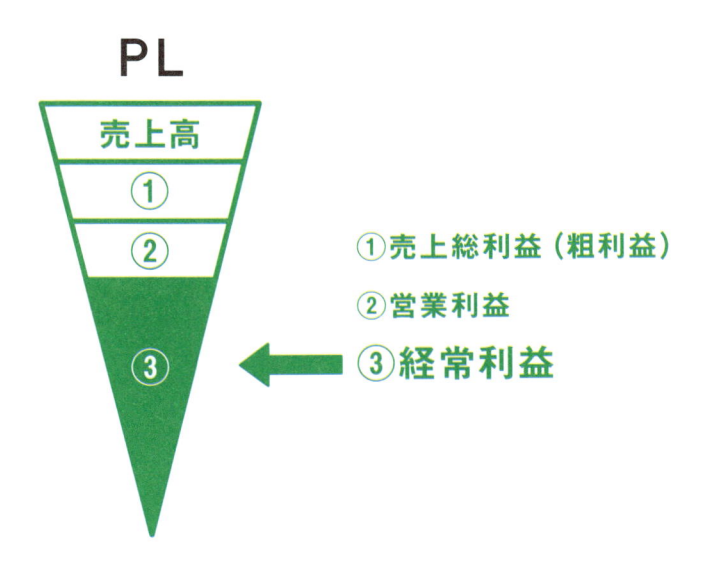

PL

- 売上高
- ①
- ②
- ③

① 売上総利益（粗利益）

② 営業利益

← ③ 経常利益

A 正解は、ハウステンボスが大規模なイルミネーションイベントなどで集客力を高めたからです。

記事によると、

「ハウステンボスは大規模なイルミネーションイベントなどで集客力を高め、入場者数は74万8000人と13％増加。運営会社の経常利益は61％増の25億円に達した。入場者のうち外国人は4万6800人と74％増えた。運営会社は昨年、台湾と韓国に出張所を相次いで開設。現地の旅行会社にハウステンボスを組み込んだ旅行商品を増やすよう働きかけた成果が出たようだ。」

とあります。

アベノミクスによって**国内消費が好調だったところに、魅力的な改善を加えたこと**でハウステンボスは賑わっているようです。

また、長崎に近い、**台湾や韓国からのお客様が増加した**ことも「経常利益」が増えた要因です。H・I・S・は平成22年にハウステンボスを子会社化しましたが、その成果が徐々に表れているようです。

H.I.S.がハウステンボスを買ったことを知っていた方は正解できた問題かもしれません。

クイズ3 ガス会社の当期純利益が減少した理由とは?

2014年1月29日の日経新聞に「大ガス、純利益69％減（2013年4月〜12月）」との見出しがありました。

超難問ですが、大阪ガスの2013年4月〜12月の「当期純利益」が69％減少した理由を考えてみて下さい。

難しいので、ヒントは2つです。
① 近年話題になっている「シェールガス」が関係しています。
② 営業利益ではなく、**当期純利益が減少している**ので何か特別なことが起きたのかもしれません。

A 正解は、米国シェールガス鉱区の開発失敗に伴う特別損失の計上です。

かなり難しい問題でしたね。記事によると、

「米国シェールガス鉱区の開発失敗に伴う特別損失の計上が響いた。円安による原材料費の上昇やガス販売量の減少も収益を圧迫した。同社は米国でシェールガス鉱区の権益を取得していたが、現在の技術では想定した量を掘り出すことが難しいことが判明したため、290億円の特損を計上した。」

とあります。また、

「売上高は7％増の1兆343億円、経常利益は8％減の652億円だった。」

との記載もありました。

左ページの図はIEA（国際エネルギー機関）による資料です。在来型ガス・非在来型ガスの推定埋蔵量を見てみると、近年注目されているシェールガス（たい積岩の層から取れる天然ガス）の推定埋蔵量は、全体の約4分の1となっています。

大阪ガスでは調達先の分散や調達価格体系の多様化を目指して、シェールガスに力

[在来型ガス・非在来型ガスの推定埋蔵量]
（2011年）

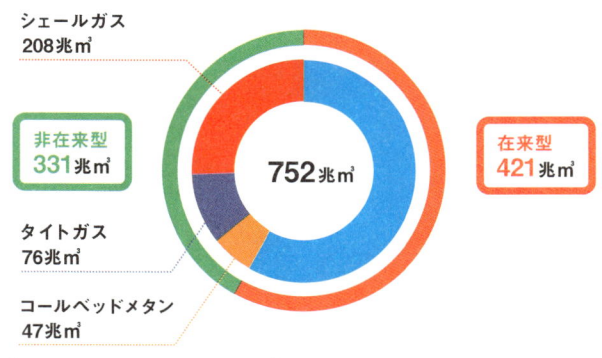

- シェールガス 208兆㎥
- 非在来型 331兆㎥
- タイトガス 76兆㎥
- コールベッドメタン 47兆㎥
- 在来型 421兆㎥
- 合計 752兆㎥

（IEA "Golden Rules for a Golden Age of Gas"
BP Statistical Review of World Energy 2012 より）

を入れているようです。

ここでのポイントは、PL内の利益の5段階、④税引前当期純利益で学習した「特別損失」です。

シェールガス鉱区の開発失敗は、通常の業務で発生する損失ではなかったので、特別損失となりました。

見出しを読んだだけでは、純利益が減少しているので心配になりますが、記事の内容を読んでみると「売上高」は7％増で本業は安定しているので、今回の損失は一時的なものであると理解できます。

勘のよい方はすでにお気づきかもしれませんが、新聞の見出しだけ読んで増益、減益の善し悪しを判断することはとても危険

です。
同じ「増益」という言葉でも、**利益の5段階のどこの部分を指しているかによって、その意味は異なる**のです。

利益についての記事や説明は、①〜⑤のどこの利益を指しているのか、注意しながら読んでみて下さい。

第2章のまとめ

▼ PLは1年間の最終利益を計算するための計算書。

▼ PLはBSのC（純資産）の一部で、最終的な利益はCに貯まる。

▼ 利益には5段階あり、それぞれの利益に意味がある。

▼ 新聞・雑誌等を読む時は、どこの利益の話をしているか理解することが大切。

コラム メジャー移籍金はPLにどう記載されるのか

北海道日本ハムファイターズに所属していたダルビッシュ有投手が、2012年にアメリカのテキサス・レンジャーズへポスティングシステムを使って移籍しました。

その時に、テキサス・レンジャーズから日本ハムへダルビッシュ投手の移籍金として、5170万3411ドルが支払われたのを覚えていますか？

実はこの移籍金、平成23年度の日本ハムの有価証券報告書のPLに、「プロ野球選手移籍金（4017百万円）」として記載されているのです。

当時の日経新聞（2012年1月19日）にも、

「日本ハムは19日、連結子会社の北海道日本ハムファイターズで、所属のダルビッシュ有投手の移籍に伴い2012年3月期決算に約40億円の特別利益を計上すると発表した。ダルビッシュ選手がポスティング（入札）制度で米大リーグのテキサス・レンジャー

148

[連結損益計算書]

区分	前連結会計年度 (平成23年4月1日 〜平成24年3月31日) 金額(百万円)	当連結会計年度 (平成24年4月1日 〜平成25年3月31日) 金額(百万円)
売上高	1,017,784	1,022,839
売上原価	822,222	827,058
販売費及び一般管理費	169,049	167,760
その他の営業費用及び(△収益)―純額	2,319	131
プロ野球選手移籍金	4,017	―
支払利息	1,727	1,582
その他の収益及び(△費用)―純額	282	1,723
税金等調整前当期純利益	26,766	28,031

(日本ハム 第68期 有価証券報告書より)

ズへ移籍することが確定し、移籍金を受領することとなったため。」
と報じられました。

日本ハムの通常業務で発生する収益ではないので、「売上高」には入らず、特別利益として記載されました。PLの項目をひとつ増やしてしまうダルビッシュ投手は大物です。

これから先、日本のプロ野球選手が移籍した際に他の会社でもPLに項目が増えるのでしょうか。今後もPLから目が離せません。

第3章

3色でキャッシュフロー計算書を読む

キャッシュフロー計算書を学ぶと、会社が何にお金を使ったのか、何からお金を入手したのかがわかるようになります。また、黒字倒産を見分けることができるようになります。

1 キャッシュフロー計算書でわかる、3つのお金の流れ

キャッシュフロー計算書は、1987年に米国で導入され、日本では2000年に上場会社に義務付けられた、比較的最近できた計算書です。

キャッシュフローとは**直訳すると「お金の流れ」**です。キャッシュフロー計算書自体のアイディアはシンプルで、会社に入ってきたお金と、会社から出ていったお金の動きを3つの視点から見るものです。

キャッシュフロー計算書は次の3つの活動から構成されています。

① 営業活動によるキャッシュフロー
② 投資活動によるキャッシュフロー
③ 財務活動によるキャッシュフロー

[**お金の流れ**]

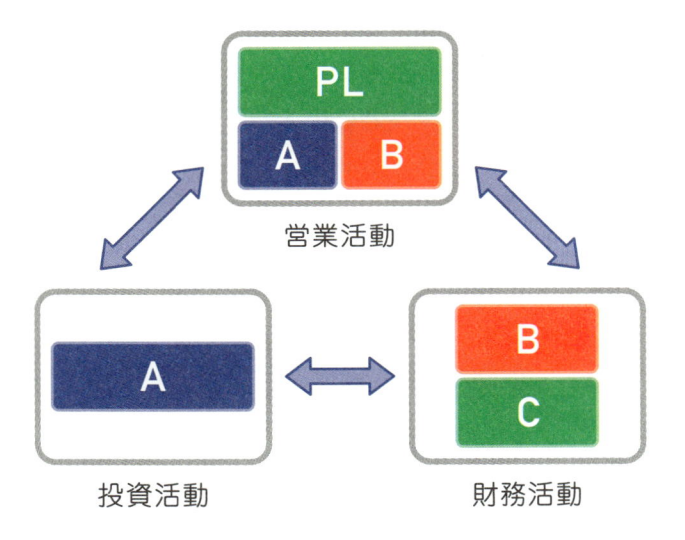

```
        ┌─────────┐
        │   PL    │
        │  A │ B  │
        └─────────┘
         営業活動
       ↙         ↘
  ┌─────┐      ┌─────┐
  │  A  │ ←→　│  B  │
  │     │      │  C  │
  └─────┘      └─────┘
  投資活動      財務活動
```

お金の流れ① 営業活動によるキャッシュフロー

"営業"という文字通り、**本業の活動によってどのぐらいお金が出入りしたかを見る**ものです。

お金の出入りとは、本業によって得られたお金と、本業によって支払ったお金の動きのことを指します。

最終的にお金が残ったらプラス、出ていったお金の方が多ければマイナスになります。

ピザ屋の例では、ピザを売って得たお金や、材料費、人件費、家賃などのお金の支払い（PL）が「営業活動によるキャッシュフロー」に該当します。

通常の会社では、BSのAに入る**流動資産**や、Bに入る**流動負債**なども、本業の営業活動によるお金の出入りなので「営業活動によるキャッシュフロー」に含まれます。

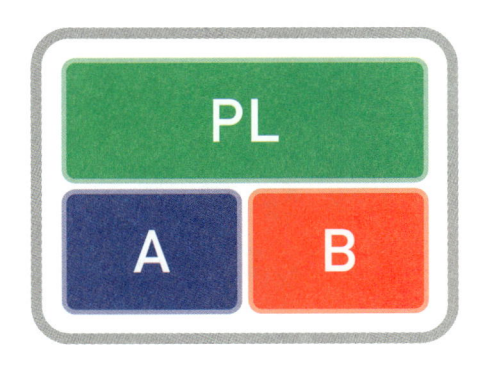

営業活動

お金の流れ② 投資活動によるキャッシュフロー

土地、建物、器具備品、機械装置などに**投資して出ていったお金や、それらを売却して入ってきたお金の出入り**のことを指します。資産を売却して入ってきたお金の方が多ければプラスとなり、資産を購入して出ていったお金の方が多ければマイナスになります。ピザ屋の例では、器具備品や機械装置を買ったことによる支出などが「投資活動によるキャッシュフロー」に該当します。

お金の流れ③ 財務活動によるキャッシュフロー

借入金や資本金など、会社が**資金調達した際に入ってきたお金や、返済した時に出ていったお金の出入り**のことを指します。資本金や借入金で入ってきたお金の方が多ければプラスとなり、借入金を返済して出ていったお金の方が多ければマイナスとなります。ピザ屋の例では、BSの**B**に入る**借入金**や、**C**に入る**資本金**による資金調達が「財務活動によるキャッシュフロー」に該当します。

156

```
┌─────────────────────┐
│   ┌─────────────┐   │
│   │      A      │   │
│   └─────────────┘   │
└─────────────────────┘
       投資活動

┌─────────────────────┐
│   ┌─────────────┐   │
│   │      B      │   │
│   ├─────────────┤   │
│   │      C      │   │
│   └─────────────┘   │
└─────────────────────┘
       財務活動
```

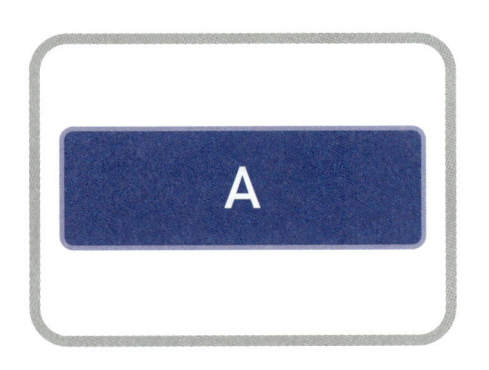

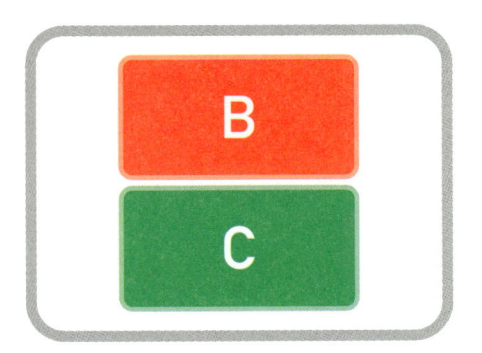

2 自分でキャッシュフロー計算書を作ってみよう

次は「プチ簿記」を学んでみましょう。

第1章のコラムで「複式簿記」という言葉が出てきましたが、ここでは簡単に複式簿記について学びます。

複式簿記とは、**二面性のある行動を「左」と「右」で同時に表現すること**を言います。

第1章でピザ屋を始めた時に、現金100万円を「資本金」として会社に出資しました。これを複式簿記で表すと次のようになります。

（左）　現金　100万円　　（右）　資本金　100万円

簿記恐怖症の方は、この時点で震えが止まらないかもしれませんが、ご安心下さい。

3色決算書法の真骨頂は、3色ペンで色を塗ることによって、**複式簿記を視覚的にわかりやすくできる**点です。

左　　　　　　　　　　**右**

| 現金　　100万円 | ← | 資本金　　100万円 |

一般的に、発生した取引を分類して帳簿に記載することを「仕訳をきる」と言いますので、以下、取引の記録を仕訳と呼んでいきます。

先ほどの現金と資本金の仕訳に色を付けると、上のようになります。

あ、いつもの色！　と思われた方はもう大丈夫です。

第1章では、「資本金」100万円を **C（純資産）** に入れて、「現金」100万円を **A（資産）** に記載しました。

複式簿記では、右側に **「資本金」100万円**、左側に **「現金」100万円** と記載します。

複式簿記と言っても、BSと一緒に並べてみると、3色決算書を切り取ったような形で、**3色決算書の雛形と複式簿記とは同じ並び**（右・左）になっていることに気が付きましたか？

簿記恐怖症の方でも3色決算書法のキャッシュフロー計算書なら大丈夫です。

3色決算書法のキャッシュフロー計算書の作り方はわかりやすく説明するためにとてもシンプルになっています。

今までキャッシュフロー計算書で挫折してしまった人も、このやり方であればわかりやすいと思いますので、お金の流れを考えながら、リラックスして読み進めていって下さい。

それでは、ピザ屋の例を使ってキャッシュフロー計算書を作っていきます。

[3色決算書の雛形と複式簿記の並びは同じ！]

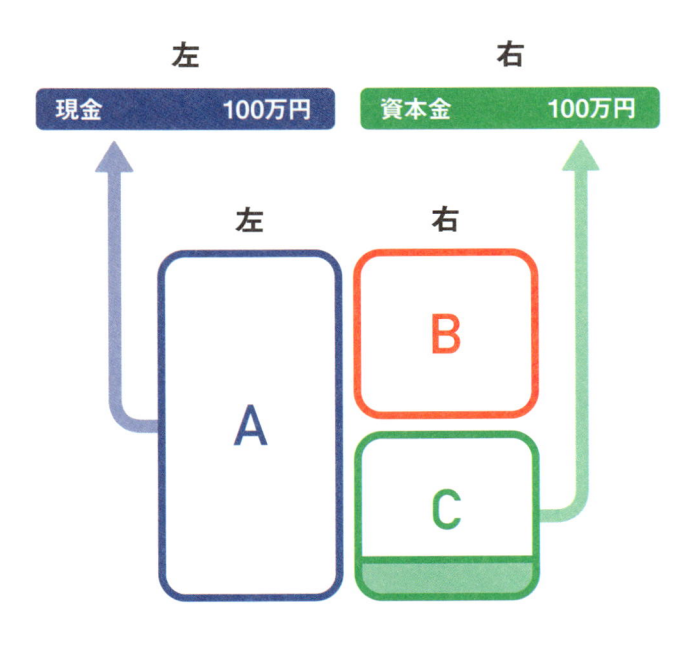

左 **右**
現金　100万円　資本金　100万円

左 **右**
A　B
　　C

ステップ1

第1章のBSの取引を思い出してみましょう。

（1）最初に、**資本金100万円**を出資して、**現金100万円**を増やしました。
（2）普通の皿セット、普通のレジスター、普通のテーブルセット、冷蔵庫**(器具備品)** を、現金65万円で買いました。
（3）**借入金**として、銀行から現金300万円を入手しました。
（4）（3）で入手したお金を使って、最高に焼きあがる窯**(機械装置)** を現金300万円で買いました。

ここではわかりやすいように、**A（資産）** から出ていった現金は右側の欄に、白地の枠で表してみました。

もし仕訳がわかりにくかったら、第1章のBSを見ながら（1）～（4）の仕訳を確認して下さい。BSで**同じ色の部分を見比べれば、仕訳との違いがない**ことに気が

[ステップ1]

(1) 現金　　　　100万円　　　資本金　　　100万円
(2) 器具備品　　 65万円　　　現金　　　　 65万円
(3) 現金　　　　300万円　　　借入金　　　300万円
(4) 機械装置　　300万円　　　現金　　　　300万円

[第1章のBS]

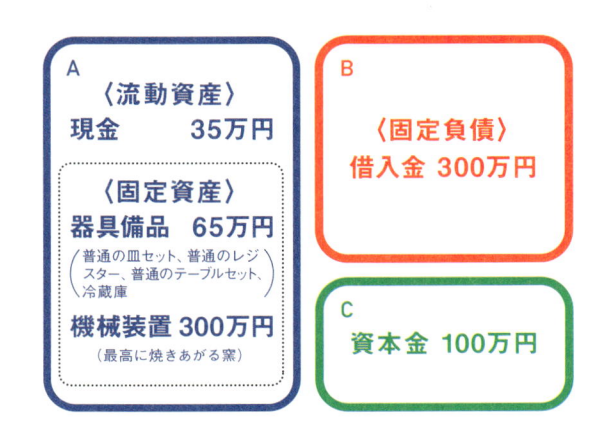

A
〈流動資産〉
現金　　35万円

〈固定資産〉
器具備品　65万円
（普通の皿セット、普通のレジスター、普通のテーブルセット、冷蔵庫）
機械装置 300万円
（最高に焼きあがる窯）

B
〈固定負債〉
借入金 300万円

C
資本金 100万円

A 400万円　=　B 300万円　+　C 100万円

付くはずです。

> ステップ2

第2章のPLの取引を思い出してみましょう。

（1）ピザを**現金7500万円**で売り上げました。
（2）ピザの**材料費**として現金2700万円を支払いました。
（3）**人件費**として現金2100万円を支払いました（人件費は**給料手当**と表示しています）。
（4）**家賃**として現金300万円を支払いました（家賃は**地代家賃**と表示しています）。
（5）**その他の経費**として現金600万円を支払いました。
（6）借入金の**利息**として現金15万円を支払いました（利息は**支払利息**と表示しています）。
（7）**法人税等**として現金685万円を支払いました。

[ステップ2]

(1)	現金	7,500万円	売上	7,500万円
(2)	材料費	2,700万円	現金	2,700万円
(3)	給料手当	2,100万円	現金	2,100万円
(4)	地代家賃	300万円	現金	300万円
(5)	その他の経費	600万円	現金	600万円
(6)	支払利息	15万円	現金	15万円
(7)	法人税等	685万円	現金	685万円

[第2章のPL]

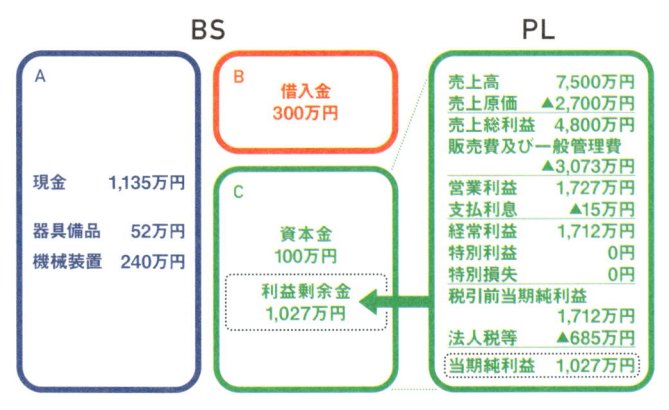

BS

A
現金　1,135万円
器具備品　52万円
機械装置　240万円

B
借入金
300万円

C
資本金
100万円
利益剰余金
1,027万円

PL

売上高　7,500万円
売上原価　▲2,700万円
売上総利益　4,800万円
販売費及び一般管理費
　　　　　▲3,073万円
営業利益　1,727万円
支払利息　▲15万円
経常利益　1,712万円
特別利益　0円
特別損失　0円
税引前当期純利益
　　　　　1,712万円
法人税等　▲685万円
当期純利益　1,027万円

A 1,427万円 ＝ B 300万円 ＋ C 1,127万円

第1章で学んだように、お金の流れは右から左なので、3色決算書法では**「売上」が右側、「現金」は左側**にきます。

また、第2章で登場した**減価償却は現金を伴わない**ので、ここでは表示されません。
逆にお金が出ていく流れでは**「費用」**が左側、**「現金」**は右側となります。

ここまでが第1章と第2章で行われた取引の仕訳でした。

ステップ3

BSとPLの仕訳を、キャッシュフロー計算書の活動ごとに色を見ながら振り分けていきます。

① PLで行われた活動は「営業活動によるキャッシュフロー」としてまとめます。
　ここでは、ステップ2の（1）〜（7）の仕訳が該当します。

② Aの中の**固定資産**で行われた活動は「投資活動によるキャッシュフロー」とし

[ステップ3]
キャッシュフロー計算書

① **営業活動**　**PL**　＝本業による収入・支出

② **投資活動**　**A**　＝資産の取得・売却

③ **財務活動**　**B**　＝借入による収入・支出

　　　　　　　　　C　＝株式の発行による収入

てまとめます。ここでは、ステップ1の（2）と（4）の仕訳が該当します。

③ **B（負債）** と **C** の中の**資本金**で行われた活動は「財務活動によるキャッシュフロー」としてまとめます。ここでは、ステップ1の（1）と（3）の仕訳が該当します。

ステップ4

「営業活動によるキャッシュフロー」を集計します。

〈1〉 PLに入ってきた現金を集計
〈2〉 PLから出ていった現金を集計
〈3〉 PLに入ってきた現金とPLから出ていった現金を集計

という流れで集計します。

現金の項目に注目してみると、〈1〉～〈7〉のみなので、左側の合計は7500万円となります。出ていった現金は〈2〉～〈7〉が該当し、右側を集計すると▲6400万円になります。

7500万円－6400万円＝1100万円

となり、**「営業活動によるキャッシュフロー」は1100万円のプラス**となります。

[ステップ4]
営業活動によるキャッシュフロー

(1) 現金　　　7,500万円　　売上　　　7,500万円
(2) 材料費　　2,700万円　　現金　　　2,700万円
(3) 給料手当　2,100万円　　現金　　　2,100万円
(4) 地代家賃　　300万円　　現金　　　　300万円
(5) その他の経費 600万円　現金　　　　600万円
(6) 支払利息　　 15万円　　現金　　　　 15万円
(7) 法人税等　　685万円　　現金　　　　685万円

入金合計　7,500万円　　出金合計　▲6,400万円

7,500万円　－　6,400万円　＝　1,100万円

ステップ5

「投資活動によるキャッシュフロー」を集計します。

ステップ1のうち、投資活動に該当するのが、左ページに示した（2）と（4）の取引です。

ピザ屋の例では左側で入ってきた現金はないので0円、右側の出ていった現金の合計は365万円となります。

この結果から、**「投資活動によるキャッシュフロー」は▲365万円となります。**

一方、もしも投資活動で株を売っていたならば、左側にも入金があります。

仮に、800円で買った有価証券が1000円で売れた場合、左側に現金1000円が入って、右側に売却してなくなった有価証券800円が記載されます。その差額が**儲かった利益（有価証券売却益）200円としてPLに計上されます。**

[ステップ5]
投資活動によるキャッシュフロー

(2) 器具備品　65万円 ／ 現金　65万円
(4) 機械装置　300万円 ／ 現金　300万円

入金合計　0円　　　出金合計　▲365万円

$$0 - 365万円 = ▲365万円$$

有価証券を売った場合

現金　1,000円 ／ 有価証券　800円
　　　　　　　　　有価証券売却益　200円

入金合計　1,000円　　　出金合計　0円

[ステップ6]
財務活動によるキャッシュフロー

(1)	現金 100万円	資本金	100万円
(3)	現金 300万円	借入金	300万円

入金合計　400万円　　　　出金合計　0円

400万円 － 0円 ＝ 400万円

ステップ6

「財務活動によるキャッシュフロー」を集計します。

ステップ1のうち、財務活動に該当するのは、(1)と(3)の取引です。

左側で入ってきた現金の合計は400万円で、右側の出ていった現金は0円でした。

この結果から、**「財務活動によるキャッシュフロー」は400万円（プラス）**となります。

ここまでで、営業活動、投資活動、財務活動によるそれぞれの「お金の出入り」を把握することができました。

ステップ7

営業活動、投資活動、財務活動によるキャッシュフローを合計して、**1年間の会社全体の活動による現金の増減**を把握します。

ステップ4、5、6で算出した活動の現金を集計すると、

1100万円+▲365万円+400万円＝1135万円

となり、プラスの「1135万円」が1年間で会社が獲得した現金となります。

これでキャッシュフロー計算書の完成です。

今までキャッシュフロー計算書が苦手だった方は拍子抜けされたかもしれません。

キャッシュフロー計算書は、**それぞれの活動で「現金」がどのように使われたか**報告

している、シンプルな計算書なのです。

項目が増えていくと計算は複雑になっていきますが、**本質はシンプルな計算書である**ということを覚えておいて下さい。

実際のキャッシュフロー計算書は、それぞれの活動に記載されている項目が多く、理解することが大変です。

初めの段階では、**それぞれの活動の合計金額で見る**ことをおすすめします。

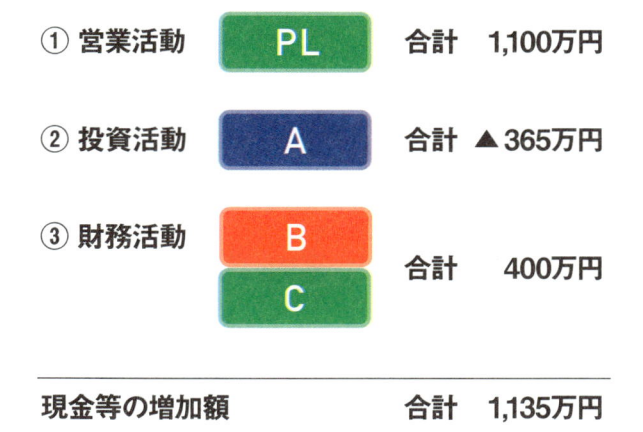

[ステップ7]
キャッシュフロー計算書

① 営業活動　　**PL**　　合計　1,100万円

② 投資活動　　**A**　　合計　▲365万円

③ 財務活動　　**B**
　　　　　　　C　　合計　400万円

現金等の増加額　　　　合計　1,135万円

3 キャッシュフロー計算書を読み解く

● プラスかマイナスか、だけで判断しない

それでは、キャッシュフロー計算書の読み解き方をお話ししていきます。

「営業活動によるキャッシュフロー」とは、本業によるお金の出入りをまとめたものです。また、「投資活動によるキャッシュフロー」と「財務活動によるキャッシュフロー」に当てはまらないお金の流れもここで表示されます。具体的には支払利息や法人税等などが該当します。

営業活動によるキャッシュフローはキャッシュフロー計算書の中で一番重要で、**常にプラスである必要があり、入ってくるお金の方が多くなければいけない**のです。ここでプラスとなった資金を使って、次の投資活動や財務活動へとつなげます。

営業活動によるキャッシュフローがマイナスということは、本業からの現金収入がないことになりますので、**何年もマイナスになっている場合は注意が必要**です。

[キャッシュフロー計算書とは]

1年間のキャッシュの動きを把握するもの

■キャッシュフロー計算書

(単位:百万円)

	平成×年×月×日から 平成×年×月×日まで
営業活動によるキャッシュフロー	1,000
投資活動によるキャッシュフロー	▲ 500
財務活動によるキャッシュフロー	▲ 300
現金及び現金同等物の増減額	200
現金及び現金同等物の期首残高	0
現金及び現金同等物の期末残高	200

「投資活動によるキャッシュフロー」とは、固定資産や有価証券の売却によって得られたお金や、購入によって支出したお金の流れをまとめたものです。

ここでのキャッシュフローは「営業活動によるキャッシュフロー」と異なり、マイナスになる場合も出てきます。それは、**設備を整えるためにお金を多く使う場合がある**からです。

成長戦略を描く会社ではどんどんA(資産)にお金を使って、本業が活動できる資産を整えていきます。

投資活動によるキャッシュフローをマイナスにすることで、今後の会社の成長につなげているのです。

「財務活動によるキャッシュフロー」は、資本金や借入金によって入ってきたお金や、借入金を返済することによるお金の支出をまとめたものです。

ここでのキャッシュフローは会社の戦略によって、プラスやマイナスの意味が異なります。

一般的には、キャッシュフローがマイナス（お金が出ていっている状態）になっている場合は**借入金の返済などができているとみられ、よい兆候**と判断されています。

一方、プロ野球の親会社のクイズで取り上げたソフトバンクは、2006年にボーダフォンを買収するために、銀行などから1兆円を超える借入を行いました。それによってこの時の「財務活動によるキャッシュフロー」は大きくプラスになったのです。

この時のソフトバンクのように、**借入金を利用することでビジネスを大きく成長させる**会社もあるので、「財務活動によるキャッシュフロー」は、お金の流れがプラスかマイナスかだけで評価するのではなく、会社の戦略を見極める必要があります。

ところで、先ほどピザ屋のキャッシュフロー計算書で導き出した、1年間で得た現

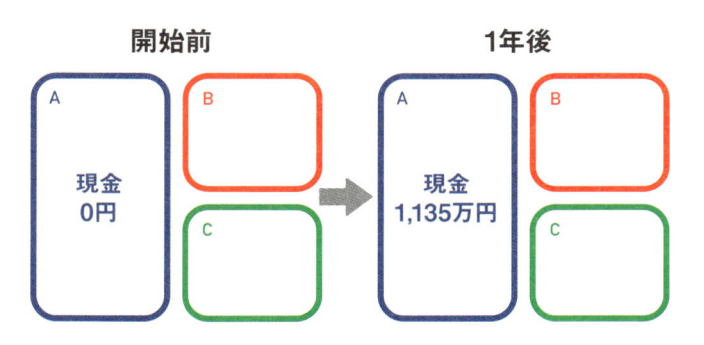

	開始前		1年後	
A	現金 0円	B	A 現金 1,135万円	B
		C		C

①営業活動によるキャッシュフロー	1,100万円
②投資活動によるキャッシュフロー	▲365万円
③財務活動によるキャッシュフロー	400万円
	1,135万円

金「1135万円」という金額ですが、見覚えがありませんか? お気づきかもしれませんが、第2章の最後で計算した、BSの **A（資産）** に入っている現金1135万円と同じ額なのです。

キャッシュフロー計算書はBSの **A（資産）** にある現金の項目が、期首から期末まででいくら増えて、どのように使われたかを表しています。

興味のある方は、いろいろな会社の決算書を見て、**BSの現金とキャッシュフロー計算書の現金が一致している**ことを確認してみて下さい。

●PLとキャッシュフロー計算書の違いとは？

PLとキャッシュフロー計算書は同じようにお金の流れを表しているのに、**なぜ2つの決算書を作成するのか**、疑問に思われたかもしれません。

例えば、我々のピザ屋が順調に営業していたところに、ライバル店が出現したとします。ライバル店は売上至上主義で、とにかく売上を増やそうとしています。

当店はお客様から「現金」で支払ってもらうのに対し、ライバル店は〝つけ〟払いを受け付けています。

「お客様からお金を受け取るのは後で構わない。〝つけ〟でもいいから売るんだ！」というのがライバル店主の口癖です。

1年後、当店より売上を伸ばしたライバル店のBSとPLの売上高を見てみると、左ページの図のようになっていました。

当店と比較してみると、当店の売上高が7500万円だったのに対して、ライバル店の売上高は1億円です。

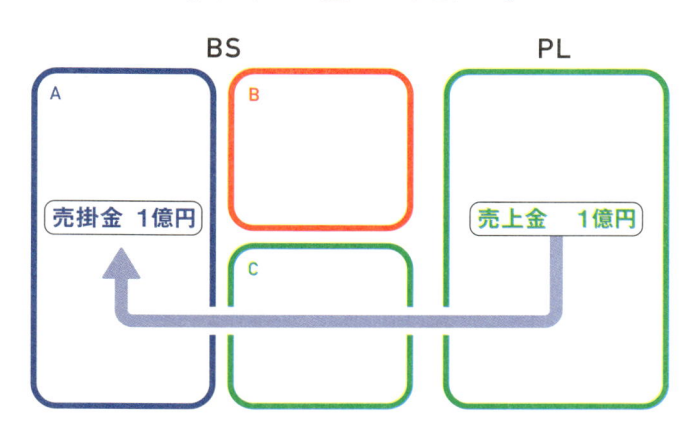

[ライバル店のBSとPL]

BS / PL

A: 売掛金 1億円
B
C
売上金 1億円

また、BSのA（資産）を見てみると、当店が現金7500万円を計上していたのに対し、ライバル店は〝つけ〞である売掛金1億円を計上していました。

売掛金とは**お客様が後で支払うと約束したピザの代金**ですが、この売掛金が問題です。

全てのお客様がお金を支払ってくれれば問題はないのですが、お客様がお金を支払えなかった場合や、入金される時期が遅くなると、**会社に入ってくる現金が減少します**。

そうすると材料費や借入金の利息などが払えなくなり、会社は倒産する可能性が出てきます。

この例は少し極端ですが、このようにPL上では儲かって黒字に見えるけれども、**現金が不足して支払不能になる**ことを「黒字倒産」といいます。

大航海時代のように、船ごとに儲けを計算していた時はビジネスがシンプルでわかりやすかったのですが、ビジネスが複雑化し、売掛金のような信用取引を行ったり、減価償却のような現金の支出を伴わない取引が導入されると、PLの中身は実際の現金の動きとだんだんかけ離れていきました。

黒字倒産も増え、PLがわかりにくくなる中で誕生したのが、キャッシュフロー計算書です。

キャッシュフロー計算書は**実際に動いた現金のみを表す**ので、正確な数字がわかります。キャッシュフロー計算書ならば、会社から実際にお金が生まれているか把握することができ、また、**会社の業績を客観的に見ることができる**のです。

● 財務3表は互いの欠点を補い合っている

最後に、なぜ「財務3表」全てが必要なのかという話をします。

今まで、BS、PL、キャッシュフロー計算書、と見てきましたが、実は、それぞれの計算書には欠点があります。

「BSだけでは**C（純資産）**に入ってきた**利益の内訳がわからない**」
「PLだけでは実際の**現金の動きがつかめない**」
「キャッシュフロー計算書だけでは会社に**資産、負債、純資産がどれだけあるかわからない**」

このように、財務3表にはそれぞれの欠点があります。
それゆえに、BS、PL、キャッシュフロー計算書でそれぞれの欠点を補完し合い、全ての決算書を見て会社全体の動きを把握することが重要となるのです。
会社の決算書を見る際は、財務3表をバランスよく見ながら研究してみて下さい。

クイズ 財務3表を使って総合問題を解いてみよう

ここまでBS、PL、キャッシュフロー計算書の財務3表を学びました。せっかくなので、財務3表の知識を使って総合問題を解いてみましょう。

問題には、就職活動を頑張る学生の方へのエールの気持ちを込めて、就職活動中の学生から人気のある企業を選んでみました。

近年、就職先の人気企業ランキングでは、保険会社や銀行など金融機関がランキング上位の常連となっています。

そうであれば金融機関の決算書から出題するのがよさそうですが、金融機関の決算書は業界独自の形式をとっていて、初心者の方が読み解くのはなかなか大変なのです。ですから、本書では対象としませんでした。

そこで、今回のクイズは「ANAホールディングス（HD）」と「大日本印刷」を対象に、出題してみます。

どちらも就職先として根強い人気があり、毎年人気企業ランキングの上位に食い込

184

んでくる企業です。

はじめての会社選びはこれからの人生の道のりを大きく決めるイベントです。会社のイメージだけでなく、決算書の視点からも会社を選べるようになるために、BS、PL、キャッシュフロー計算書をうまく使いこなせるようになって下さい。

それでは未来に羽ばたく学生の方々が憧れる会社の決算書を、クイズ形式で見てみたいと思います。

> **クイズ** 次の①と②がANAHD、大日本印刷のどちらに当てはまるか考えてみて下さい。

〈ヒント〉BS：大日本印刷とANAHDで、「固定資産」を多く必要とするのはどちらの会社か考えてみましょう。

〈ヒント〉PL：2社の中で、材料費などの**原価が多く掛かる**のはどちらの会社か考えてみましょう。

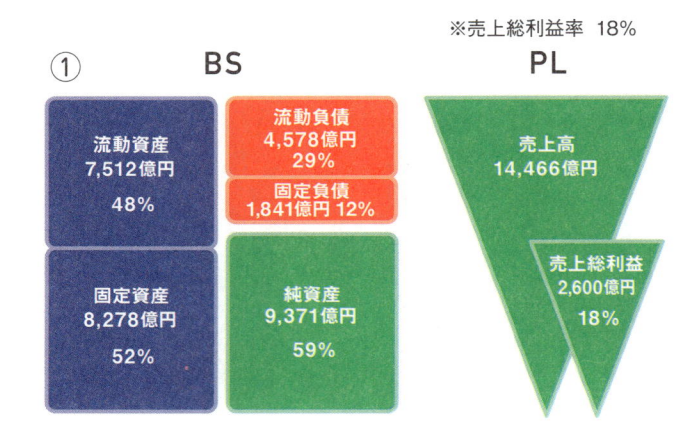

① BS　　　　　※売上総利益率 18%
　　　　　　　　PL

BS
- 流動資産 7,512億円 48%
- 流動負債 4,578億円 29%
- 固定負債 1,841億円 12%
- 固定資産 8,278億円 52%
- 純資産 9,371億円 59%

PL
- 売上高 14,466億円
- 売上総利益 2,600億円 18%

[①キャッシュフロー計算書]

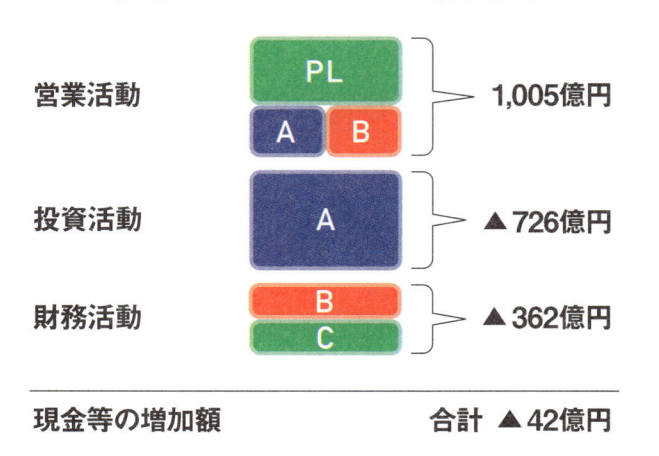

営業活動	PL / A B	1,005億円
投資活動	A	▲726億円
財務活動	B / C	▲362億円
現金等の増加額		合計 ▲42億円

186

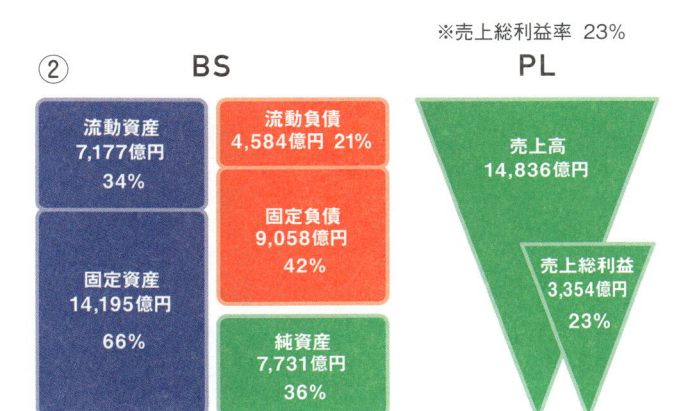

② **BS** ※売上総利益率 23%　**PL**

- 流動資産 7,177億円 34%
- 固定資産 14,195億円 66%
- 流動負債 4,584億円 21%
- 固定負債 9,058億円 42%
- 純資産 7,731億円 36%
- 売上高 14,836億円
- 売上総利益 3,354億円 23%

[②キャッシュフロー計算書]

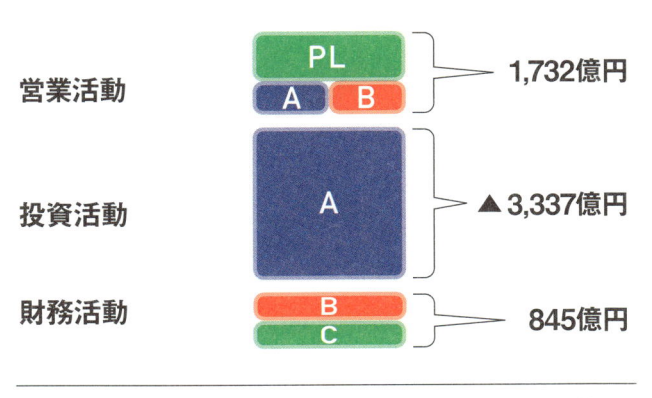

営業活動	PL / A / B	1,732億円
投資活動	A	▲3,337億円
財務活動	B / C	845億円
現金等の増加額		合計 ▲756億円

(すべて2012年度 有価証券報告書より)
※小数点以下は四捨五入

A 正解は ① 大日本印刷 ② ANAHD です。

正解の導き方はいろいろとあると思いますが、一例を示してみます。

まず、BSで学んだ「固定資産」に着目します。

大日本印刷は印刷事業を行っており、印刷工場等があるはずなので、土地、建物、機械装置などの固定資産が多いと考えられます。

また、ANAHDも航空運送事業で飛行機を所有しているので、固定資産が多くなると考えられます。

ただ、①と②の固定資産を比較してみると、①の固定資産は52％、②の固定資産は66％と、両社とも固定資産がやや多く、これだけでは判断できません。

そこで、PLで学んだ知識も活かしてみます。

[売上総利益率の計算]

	①	②
売上高 (1)	14,466億円	14,836億円
売上総利益 (2)	2600億円	3,354億円
売上総利益率 (2)÷(1)	18%	23%

(2012年度 有価証券報告書より)

第2章で学んだ**「売上総利益率」を使って会社を比較してみる**と、①の会社は売上総利益率が18%、②の会社は23%となっています。売上総利益が低いということはそれだけ材料費などの**原価が掛かっている**と判断できますので、①の会社の方が材料費などを使う会社と判断できます。

大日本印刷とANAHDを比較すると、大日本印刷は印刷業がメインで、材料費などが掛かると判断できるので、①が大日本印刷であるとわかります。

また、キャッシュフロー計算書で学んだ知識も活かしてみると、「営業活動によるキャッシュフロー」が両社ともプラスに

なっていることから、**本業からきちんと現金が生まれている**ことも確認できました。

大日本印刷は1876年（明治9年）に秀英舎として設立された歴史のある会社です。1935年（昭和10年）に日清印刷を合併し、現在の大日本印刷となりました。事業内容は創業当初からの印刷業を含む「情報コミュニケーション」部門、包装や産業資材などの「生活・産業」部門、北海道コカ・コーラボトリングの「清涼飲料」部門、ディスプレイ製品などの「エレクトロニクス」部門、から成り立っています。

大日本印刷は歴史が長く、**過去から堅調な経営を行ってきた**ために、利益の地層である利益剰余金が多く貯まっていて、純資産が59％と、ANAHDと比較して割合が高くなっています。

現在では紙への印刷という枠を超え、印刷技術を応用したライフサイエンスの分野にも挑戦し続けています。

ANAHDは1952年（昭和27年）に日本ヘリコプター輸送として設立されました。翌年からヘリコプターを使って営業を開始し、1957年（昭和32年）には社名

を全日本空輸株式会社と変更しました。

事業内容は国内線旅客事業、国際線旅客事業、貨物郵便事業などを含む航空運送事業と旅行事業から成り立っています。

ANAHDの決算書で特徴的な部分は、やはり固定資産の多さです。これは**航空機が固定資産の約6割を占めている**からです。航空機を買う際に、長期借入金を利用しているために、大日本印刷と比較して固定負債の割合が42％と高くなっています。

総合問題はいかがだったでしょうか。

ここまでBS、PL、キャッシュフロー計算書と見てきましたが、決算書を見る際の重要なポイントがあります。それは、決算書を見る時は、何かと「比較」するということです。

例えば同業他社、過去の業績、予算など、決算書は何かと**比較することでその会社についての理解が深まる**ものです。いろいろなものと比較しながら、会社の評価をするようにして下さい。

第3章のまとめ

▼ キャッシュフロー計算書は3つの活動で表現される。

▼ 「営業活動によるキャッシュフロー」が一番重要。

▼ キャッシュフロー計算書なら、会社の業績を客観的に見ることができる。

▼ 決算書は同業他社、過去の業績、予算などと比較して評価することが重要。

コラム 世界の会計基準では "A＝C＋B"？

国際会計基準、またはIFRS（イファースもしくはアイファース）という名前を聞いたことがありますか？ IFRSとは国際的な会計ルールのことを言います。

近年、グローバル化が進み、国をまたいで会社を比較する機会が増えてきました。その時に使われるのが決算書です。

しかし、今までの決算書は国ごとに異なる会計基準を使っていたので、比較することが困難でした。

そこで2000年頃から国ごとの会計基準を統一しようと、IFRSの活動が活発化してきました。

IFRSは2005年にEUで適用され、現在では100か国以上が使用を認めています。

日本では上場企業で、2010年3月31日以降に決算日を迎える会社に対して任意の適用が始まりました。

さて、このIFRS。日本と違って、ちょっと変わっているのが一部の海外の決算書で採用されている、左ページのような表示方法です。

このBSが今まで見てきたBSとは少し違うことに気が付きましたか？日本の決算書は流動性の高いものが上に並びますが、海外のBSでは流動性の低いものが上に表示されています。また、「純資産」と「負債」の並び順も逆になっています。

でもご安心を。3色決算書法のABCは健在で、BとCが逆になっただけで、A＝C＋Bで表示できるので、今まで通り決算書を読むことが可能です。

変わった形のBSを見ても焦らず、3色決算書法を思い出して下さいね！

194

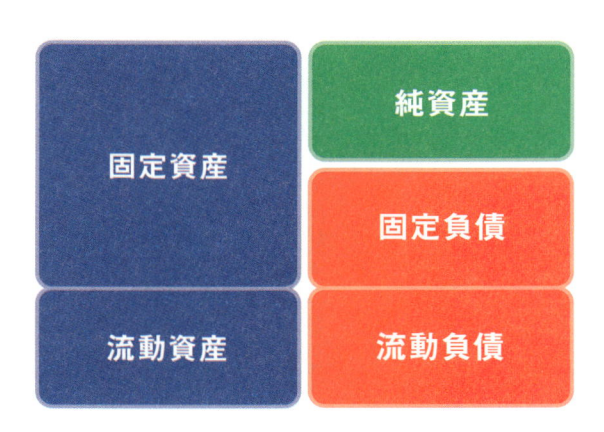

[IFRSのBS]

固定資産	純資産
	固定負債
流動資産	流動負債

第4章

3色で読み解く「会社四季報」

今まで学んだBS、PL、キャッシュフロー計算書の知識を活かして、「四季報」に掲載されている会社の決算書から財務分析をしてみましょう。

● 「四季報」だと財務3表はこう表記されている

ここまでBS、PL、キャッシュフロー計算書と、3つの決算書を見てきました。

それぞれの決算書は、「四季報」ではどのように表示されているのでしょうか。

株式投資や就職活動の際に活躍する四季報には、上場している会社の決算書の情報が含まれています。

四季報は、会社の決算書の情報のみならず、株主の情報、業績予想、株価の動きを表したチャートなど様々な情報を含んだ、持ち運び可能な企業のガイドブックです。

プロ野球に選手名鑑があるように、四季報は会社の名鑑なのです。

なお、四季報は紙面上のスペースが限られているので、会社を分析するのに最低限必要な情報だけを載せています。

第1章から第3章までで学んだ決算書の全ての情報が載っているわけではないので、ご注意下さい。

［ 会社四季報 ］

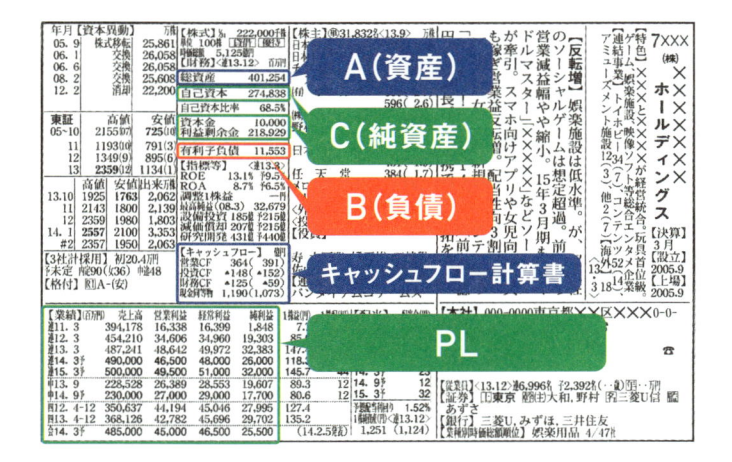

- **A（資産）**
- **C（純資産）**
- **B（負債）**
- **キャッシュフロー計算書**
- **PL**

・BS

四季報の【財務】という欄に、**総資産**が表示されています。総資産とは**A（資産）の合計額**で、流動資産や固定資産などを合わせた数字です。

次に、**B（負債）**は**有利子負債**に表示されています。

有利子負債とは文字通り、利子を払わなければならない**借入金や社債**のことを指します。

178ページで紹介したソフトバンクのように、戦略があって有利子負債が増えるのはいいのですが、増えすぎると利息の負担が大きくなるので、注意が必要です。

C（純資産）は**自己資本、資本金、利益剰余金**に表示されています。

自己資本とは返済の必要がない株主の資本で、純資産とほぼ同じ意味です。

四季報では第1章のBSのCに入る（3）「その他」の一部が引かれて計算されるのですが、「自己資本は純資産とほぼ同じ」と考えておいて下さい。

ちなみに、BSの**B**は銀行など会社以外の外部からお金を入手することから、自己資本と対比させて**他人資本**と呼ばれています。

赤字が続くとせっかく貯めておいた「利益剰余金」がマイナス（▲印）になってし

[他人資本と自己資本]

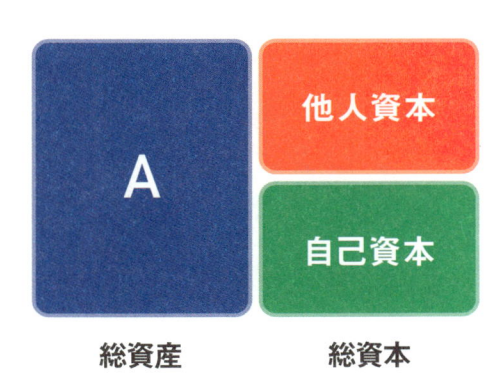

```
   A          他人資本
              自己資本
 総資産         総資本
```

まいます。会社を分析する際には、利益剰余金がマイナスになっていないか注意しながら見て下さい。

・PL

四季報の【業績】という欄に記載されています。

「売上高」「営業利益」「経常利益」「当期純利益」の4つが表示されていますが、「売上総利益」と「税引前当期純利益」は表示されていません。

ここでは **「営業利益」「経常利益」「当期純利益」** が、何年も連続してマイナスになっていないか注意しながら見て下さい。

・キャッシュフロー計算書

四季報では【キャッシュフロー】という欄に記載されています。
「営業活動によるキャッシュフロー」は「営業CF」、「投資活動によるキャッシュフロー」は「投資CF」、「財務活動によるキャッシュフロー」は「財務CF」と表示されています。
営業CFが**何年も連続でマイナスになっていないか**注意しながら見て下さい。

●**重視するポイントによって、財務分析は変わる**

財務分析でどこを重視するかは、決算書を利用する人によって異なります。
会社に投資した投資額に対してどのぐらい儲けが出るのかという「収益性」を重視し、会社にお金を貸している銀行は貸したお金が確実に返ってくるか、会社の「安全性」を重視し、経営者は購入した資産が効率よく売上に貢献しているかという「効率性」を重視します。
世の中にはこの他にも様々な指標が存在しますが、本書では「収益性」「安全性」「効率性」の3つに絞って説明をしていきます。

では早速、収益性分析から見ていきましょう。

① 収益性分析

収益性分析とは、**会社にどのぐらい利益を稼ぐ力があるかを把握する**ための分析です。ここでは四季報に記載されている「ROE」を紹介します。

ROEは、どんな財務分析の本でも必ず登場する人気のある指標なので、この機会にぜひ覚えておいて下さい。

ROEはReturn On Equityの略で、「自己資本利益率」といいます。

四季報によれば、「ROE（自己資本利益率）は、当期利益を期末自己資本で除した比率で、自己資本を使ってどれだけの利益を稼いでいるかをみる」と定義されています。

簡単に言ってしまえば、**会社に出資をしていくら儲かったか**を表す指標です。

四季報は、主に株式投資をする投資家を読者層として書かれているので、四季報の【指標等】の一番上の欄にROEが掲載されています。

3色決算書法で決算書を分解すると、ROEは左ページ上部のような形になります。

PLの⑤当期純利益が分子にきて、Cの自己資本（純資産）が分母になります。この指標は値が高いほど、投資家に評価されます。

これだけだとわかりにくいので、前章まで扱ったピザ屋の例を使って、ROEの式に数値を入れると左ページ下部のようになります。

第2章の最後で計算したPLの「当期純利益」1027万円が分子にきて、Cの「自己資本（純資産）」1127万円が分母にきます。

この指標を使うと、自分が投資した自己資本（純資産）に対して、会社がいくら利益をあげているのか把握することができます。

ピザ屋の例では、自分が出資した資本金を含めた自己資本（純資産）に対して、91・1％の利益が生まれたことになります。

毎年順調に投資額の91・1％を稼いでくれたら、投資家の立場としては大満足でしょう。

[ROE（自己資本利益率）（％）]

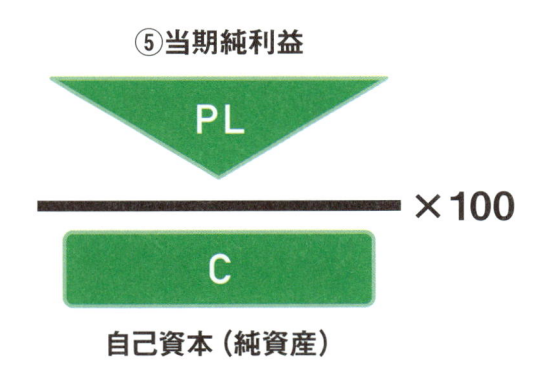

$$\text{ROE} = \frac{\text{⑤当期純利益（PL）}}{\text{自己資本（純資産）（C）}} \times 100$$

[ピザ屋のROE（％）]

$$\frac{\text{⑤当期純利益（PL）} \quad 1,027万円}{\text{自己資本（純資産）（C）} \quad 1,127万円} \times 100 = 91.1\%$$

② 安全性分析

安全性分析とは倒産リスクを回避するために、**会社の支払能力や、BSのバランスを見るための分析です。**

世の中には様々な安全性分析の指標がありますが、ここでは四季報に記載されている「自己資本比率」を紹介します。

四季報では「自己資本比率は、自己資本を総資産で除した比率」と定義されています。簡単に言ってしまうと、会社の**総資産のうち、返さなくてもいいお金がいくらあるか**を表す指標です。

総資産（A資産）は総資本（B負債＋C純資産）と同じことです。ここではB負債＋C純資産で見ていった方がわかりやすいので、分母をB負債＋C純資産として、話を進めます。

「総資本」はB「他人資本（負債）」とC「自己資本（純資産）」の合計です。自己資本が多くなると「返さなくてよいお金」が増え、「返す必要のある」Bの割合が減ることになります。Bの割合が減れば減るほど、安全性は高まります。

206

[**自己資本比率(%)**]

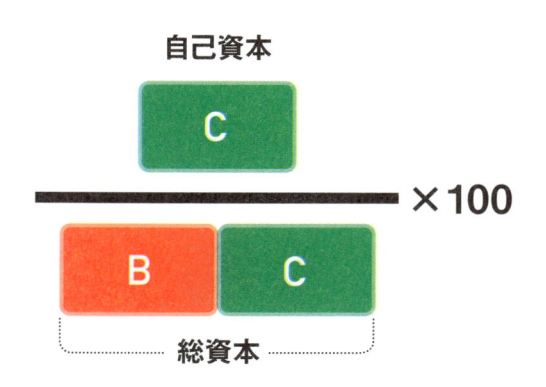

$$\frac{自己資本\ (C)}{総資本\ (B+C)} \times 100$$

この指標は**値が高いほどよい**とされています。しかしながら、Cの「純資産」が増えると収益性分析で登場したROEの分母が増えることになり、ROEの値が低下します。

近年、海外の投資家が増えましたが、**海外の投資家はROEを非常に重視しています**ので、安全性を表す自己資本比率と、収益性を表すROEのバランスの取り方は経営者にとって重要な課題です。

[ピザ屋の自己資本比率（％）]

自己資本

$$\frac{\boxed{C\ 1{,}127万円}}{\boxed{B\ 300万円}\ \boxed{C\ 1{,}127万円}} \times 100 = 79.0\%$$

総資本

ピザ屋の例で自己資本比率を見てみると、上図のようになります。

Cの「自己資本（純資産）」1127万円が分子にきて、Bの「借入金（負債）」300万円＋Cの「自己資本（純資産）」1127万円が分母にきます。

ピザ屋の例では、最初にピザ屋を始めた時はCの純資産が資本金100万円だけでしたが、ピザの販売によって**利益が増え、Cの純資産が増加**しました。

この結果、BSの全体で見ると、Cの返さなくてよいお金（純資産）が79.0％となり、安全性が高まったと言えます。

③ 効率性分析

効率性分析とは会社の**資産を活かして、効率的に売上をあげるための分析**です。

ここでは、「総資産回転率」を紹介します。総資産回転率は主に経営者の視点から見る指標なので四季報には記載されていませんが、四季報に記載されている売上高と総資産を使って計算できます。

また、先ほど学んだ収益性分析や安全性分析では率（％）を使っていましたが、ここでは「回転率」という考え方を使います。「率」という名前ですが、**「％」ではなく「回」**を求めます。

回転率をイメージしやすいのは、最近人気の飲食店チェーン、「俺のイタリアン」や「俺のフレンチ」です。

「俺の〜」シリーズを始めた坂本孝社長は「ブックオフ」の創業者でもあります。俺のイタリアンとブックオフには共通点がないようでいて、実は「回転率を高めている」という共通点があります。

俺のイタリアンでは最高級の料理を低価格の立食式にしてお客様の回転率を高め、

ブックオフでは迅速に「買取」と「販売」を行うことで「古本の回転率」を高めました。坂本社長が京セラ創業者の稲盛和夫氏から「商売の天才」と呼ばれたのは有名な話です。

総資産回転率を3色決算書法で表すと左ページ上部のようになります。PLの「売上高」が分子にきて、Aの「総資産」が分母となります。この指標は業種によって異なりますが、一般的には値が高いほど評価されます。

ピザ屋の例では「総資産回転率」は左ページ下部のようになります。ピザ屋の例では、PLの売上高7500万円が分子にきて、Aの総資産1427万円が分母にきました。

この結果、普通の皿セット、普通のレジスター、普通のテーブルセット、冷蔵庫、最高に焼きあがる窯を効率的に使って、1年間で総資産を5・3回転させて売上をあげたことになります。

経営者の視点では、1年間に総資産を5・3回使うことができたので、**効率的に経営ができている**と判断できます。

210

[総資産回転率（回）]

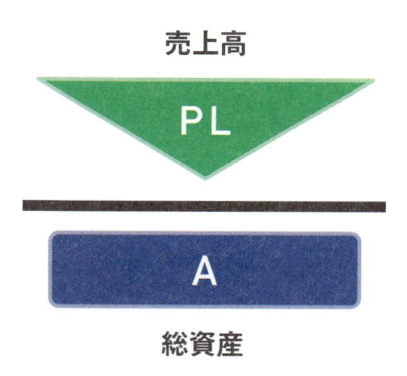

売上高

PL

―――――――

A

総資産

[ピザ屋の総資産回転率（回）]

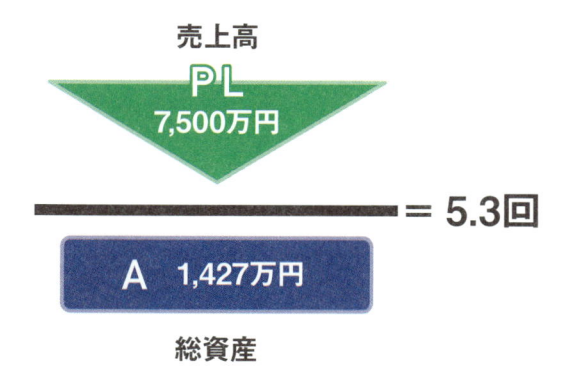

売上高

PL
7,500万円

――――――――― ＝ 5.3回

A　1,427万円

総資産

第4章のまとめ

▼ 財務分析は金額を見るだけでなく、指標を使うことも重要。

▼ 目的によって、適切な財務指標を選ぶ。

▼ 財務分析の指標はひとつだけでなく、組み合わせて判断する。

コラム 回転ずしと高級フレンチのビジネスモデルを比較する

第4章で、「俺のイタリアン」や「俺のフレンチ」の話題が出てきましたが、利益を低くして、多く販売する方法を「薄利多売(はくりたばい)」と言います。

「俺の〜」シリーズは一流のシェフが高級食材を使って低価格で料理を提供していますが、一般的な飲食店で薄利多売と言えば「回転寿司」や「牛丼チェーン」などが該当します。

薄利多売とは逆に、「品質」「雰囲気」「サービス」「感動」などを充実させてお客様のおもてなしをする飲食店もあります。

安倍総理とオバマ大統領が食事をした「すきやばし次郎」や、ミシュランガイドで三ツ星を獲得し、世界一星を持つと言われている高級フレンチレストランの「ロブション」などは「品質」「雰囲気」「サービス」「感動」などの付加価値を付けて料理を提

供しています。

ここまで学んだ3色決算書法で、薄利多売のお店と付加価値を付けたお店のビジネスモデルの違いを、財務指標を使って見てみましょう。

「四季報」に載っている、回転寿司の「くらコーポレーション」(以下「くら寿司」)と、高級フレンチレストランの「ひらまつ」でビジネスモデルを比べてみます。

まずは「売上高営業利益率」という指標で考えます。考え方は98ページで学んだ「売上総利益率」と同じです。②営業利益を売上高で割った指標で、計算すると次のようになっています。

〈売上高営業利益率〉
「くら寿司」 4.5％（2013年10月期）
「ひらまつ」 24.8％（2013年9月期）

くら寿司とひらまつの売上高営業利益率を比べてみると、くら寿司の方が利益率が低いことがわかります。

214

[売上高営業利益率（%）]

$$\frac{\text{②営業利益}}{\text{売上高}} \times 100$$

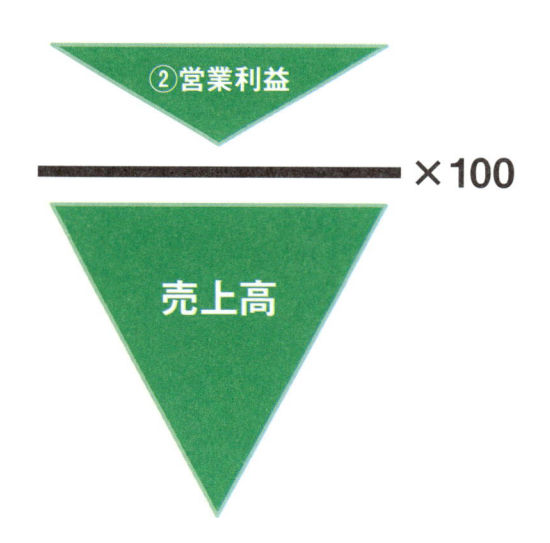

[売上高営業利益率（%）]

(単位：百万円)

会社名	2013年10月期 くらコーポレーション	2013年9月期 ひらまつ
売上高	88,145	11,495
営業利益	3,996	2,848
売上高営業利益率（%）	4.5%	24.8%

(有価証券報告書より)

このように利益を低くするやり方が「薄利」です。そして、くら寿司の売上高がひらまつの約8倍になっていることからわかるように、多く売る「多売」によって、利益を積み上げています。

一方のひらまつは、売上高営業利益率が24・8％とくら寿司に比べて高くなっています。これは薄利多売のようにコストを徹底的に削減するのではなく、感動も味わってもらうために、食材、調理方法、内装、サービスにこだわって、お客様に納得してもらえる価格で料理を提供しているからです。

このように、薄利多売のビジネスモデルは売上高営業利益率が低くなり、付加価値を重視するビジネスモデルは売上高営業利益率が高くなる傾向があります。

また、第4章で学んだ総資産回転率でも会社のビジネスモデルを比べることができます。

左ページの表を見てもわかるように、くら寿司の総資産はひらまつの約4倍ありますが、お客様の入れ替えを多くできる回転寿司のシステムを使って、効率性を高め、総資産回転率を2・42回とひらまつよりも高めています。

[**総資産回転率（回）**]

（単位：百万円）

会社名	2013年10月期 くらコーポレーション	2013年9月期 ひらまつ
売上高	88,145	11,495
総資産	36,479	9,362
総資産回転率（回）	2.42	1.23

（有価証券報告書より）

対照的に、付加価値を重視するひらまつは、内装などに力を入れて、お客様にゆったりした雰囲気を味わってもらうため、総資産回転率は1・23回となっていました。

余談ですが、ファストフードのお店に行くとアップテンポの曲がかかっていることがありませんか？

アップテンポの曲は食べるスピードを早める効果があるようで、知らず知らずのうちに早く食べてしまいます。薄利多売のお店ではお客様の回転率を高める効果があるのでしょう。

逆に、付加価値を重視するお店は、料理を出すスピードだけではなく、お店の雰囲気も大切にしていますので、ゆったりとした音楽などをかけて、お客様に非日常を味わってもらい、ゆっくりと楽しい時間を過ごしてもらえるように努力しています。

このように、同じ飲食業でも会社によっていろいろなビジネスモデルがあります。

財務分析をしていくと同じような会社でも違いが見えてきますので、いろいろな指標を組み合わせて、ビジネスモデルごとの長所や短所を見つけて下さい。

あとがき

「楽しいか、楽しくないか」「人のためになるか、ならないか」。そのことを信条に中小企業診断士として活動し始めました。といってもすぐに仕事があるわけでもなく、ただいたずらに日々が過ぎていきました。

「自分の強みを見つけなさい」。何人もの先輩診断士に同じことを言われましたが、すぐに答えは見つかりませんでした。

今まで学んできたことや、自分の持っている知識を使って、何か楽しいことができないか、何か人のためにできないか……。そんなことを考えながら毎日過ごしていましたが、ある日、決算書に色を付けてわかりにくい決算書をシンプルに伝えることができないだろうかと思いつきました。

昔、実家が文房具屋だったために、試供品でもらった画用紙とクーピーが手元にあり、そこから毎日、画用紙とクーピーを使って、決算書に色を塗って研究する日々が続きました。試行錯誤して、その中から生まれたのが、「3色決算書法」です。

人生とはわからないものです。ひょんなことから初心者向けの財務会計の講師の依頼が舞い込んできたため、ここで「3色決算書法」を試すしかない！　そう思った私はがむしゃらに講義用スライドを作成し講義したところ、多くの受講生のみなさんに「わかりやすかった！」と喜んでもらうことができました。

世の中には、専門の先生方が書かれた優れた決算書関連の本がたくさんあります。まずは補助輪である本書を使って決算書を楽しんでもらい、いつの日かみなさんが補助輪を外して、決算書という羅針盤を使ってビジネスという大航海へ旅立つ助けになればと思います。

この本が楽しく、みなさんの役に立つ本であることを祈っております。

最後になりますが、色を塗る毎日を支えてくれた家族、原稿の確認を一緒に手伝ってくれた会計士仲間、そして最初から最後まで出版のサポートをして下さった幻冬舎のみなさまに心より感謝いたします。

中小企業診断士／米国公認会計士　吉田　勧司

参考文献

『歴史にふれる会計学』友岡賛／有斐閣アルマ
『最新会計基準入門』クリフィックス税理士法人／アスペクト
『簿記一般教程』武田隆二／中央経済社
『知識ゼロからの決算書の読み方』弘兼憲史／幻冬舎
『早い話、会計なんてこれだけですよ！』岩谷誠治／日本実業出版社
『経営をよくする会計』楢山直樹／あさ出版
『財務指標の読み方・活かし方がわかる本』山﨑政昌／かんき出版
『財務諸表分析』乙政正太／同文舘出版
『会社四季報 2014年2集』東洋経済新報社
『俺のイタリアン、俺のフレンチ』坂本孝／商業界
『財務3表一体分析法』國貞克則／朝日新書
『あなたを変える「稼ぎ力」養成講座』渋井真帆／ダイヤモンド社
『包括利益経営』中澤進・石田正／日経BP社

装幀・図版作成　鈴木大輔、江﨑輝海（ソウルデザイン）

カバーフォト　植一浩

本文イラスト　宮野耕治

DTP　有限会社 中央制作社

〈著者プロフィール〉
吉田勧司（よしだ・かんじ）

中小企業診断士、米国公認会計士。
1974年千葉県船橋市生まれ。明治学院大学卒業後、米国スクラントン大学経営大学院にて経営学修士（MBA）を取得。帰国後、中央青山監査法人、あらた監査法人にて国内外の企業を対象とした会計監査業務を行う。日本の中小企業の役に立ちたいとの思いから、現在、中小企業診断士として活動中。初心者向けの財務会計セミナーで用いていた「3色決算書法」が、「斬新でわかりやすい」と好評を博す。本書が初の著書となる。

はじめてでもスラスラわかる
3色ペンで読む決算書

2014年11月25日　第1刷発行
2015年 3月20日　第2刷発行

著　者　吉田勧司
発行人　見城 徹
編集人　福島広司

発行所　株式会社 幻冬舎
　　　　〒151-0051　東京都渋谷区千駄ヶ谷4-9-7

電話　03(5411)6211(編集)
　　　03(5411)6222(営業)
振替00120-8-767643
印刷・製本所　中央精版印刷株式会社

検印廃止

万一、落丁乱丁のある場合は送料小社負担でお取替致します。小社宛にお送り下さい。本書の一部あるいは全部を無断で複写複製することは、法律で認められた場合を除き、著作権の侵害となります。定価はカバーに表示してあります。

©KANJI YOSHIDA, GENTOSHA 2014
Printed in Japan
ISBN978-4-344-02684-1　C0033
幻冬舎ホームページアドレス　http://www.gentosha.co.jp/

この本に関するご意見・ご感想をメールでお寄せいただく場合は、
comment@gentosha.co.jpまで。